¿POR QUÉ SER CATÓLICO?

EL CATECISMO COMO CAMINO

LA PROFESIÓN DE NUESTRA FE

LO QUE CREEMOS

RENEW International reconoce con agradecimiento el uso de los siguientes materiales:

La traducción al español del *Catecismo de la Iglesia Católica* para los Estados Unidos de América, © 1994, United States Conference of Catholic Bishops – Libreria Editrice Vaticana. Traducción al español del *Catecismo de la Iglesia Católica. Modificaciones basadas en la Editio Typica*, © 1997, United States Conference of Catholic Bishops – Libreria Editrice Vaticana. Se usa con permiso.

Las citas de la Sagrada Escritura están tomadas de *Dios Habla Hoy. Texto* © Sociedades Bíblicas Unidas, 1994, con los libros deuterocanónicos y apócrifos. Utilizado con permiso.

El permiso de los derechos de autor para el uso del *Catecismo de la Iglesia Católica* en la página digital de RENEW International fue concedido por Administrazione del Patrimonio della Sede Apostolica, bajo el número 344.333, el 14 de mayo de 2001, Ciudad del Vaticano. Para acceso al texto completo del *Catecismo de la Iglesia Católica* visite www.WhyCatholic.org/spanish.htm y presione en el enlace al *Catecismo de la Iglesia Católica*. Esa página interactiva permite a los usuarios hacer búsquedas en el texto oficial del *Catecismo*.

Oración en la página 30 es de la Revista *Alabanza,* 95. Amigo del Hogar, Santo Domingo, R.D. Ago./Sep./Oct., 1990.

Revisado por el Comité Ad Hoc de los Obispos para Supervisar el Uso del Catecismo.

IMPRIMATUR
Reverendísimo John J. Myers, J.C.D., D.D.
Arzobispo de Newark

Dibujos: Mauricio Valladares (El Salvador)
Diseño de la portada: James F. Brisson
Diagramación: Marina A. Herrera

Copyright © 2004 por RENEW International

Número de Control de la Biblioteca del Congreso: 2003095690
ISBN   1-930978-20-0

RENEW International
1232 George Street
Plainfield, New Jersey 07062-1717
Teléfono: 908-769-5400
www.renewintl.org
www.WhyCatholic.org

Impreso y encuadernado en los Estados Unidos de América.

Contenido

† † †

Reconocimiento

† † †

RENEW International reconoce con agradecimiento la ayuda de todas aquellas personas que hicieron posible este material de estudio y reflexión para pequeños grupos. En particular le damos las gracias a los miembros de las pequeñas comunidades de fe que lo pusieron a prueba y nos ofrecieron sus valiosas sugerencias.

Prólogo

En el año 2002, tuve el privilegio de asistir a la celebración de la canonización de San Juan Diego en la Ciudad de México. Por medio del título otorgado a Juan Diego, la Iglesia reconoce su llamado especial, comunicado a través de Nuestra Señora de Guadalupe, para que fuera un evangelizador de su tiempo. Juan Diego fue, de cierta manera, un catecismo viviente, un portador de la Buena Nueva. Cada uno de nosotros, como miembros de la familia de Dios, somos también invitados y llamados a participar de esta misma llamada de evangelización, para recorrer el mismo camino de Juan Diego.

La introducción al documento de los Obispos de los Estados Unidos titulado *Sentíamos Arder Nuestro Corazón* habla de cómo los discípulos de Jesús compartían la predicación a todo el mundo.

Cada discípulo del Señor Jesús comparte esta misión. Para cumplir lo que les corresponde, los adultos católicos deben tener una fe madura y estar bien preparados para compartir el Evangelio, promoviéndolo en todo contexto familiar, en cada reunión eclesial, en cada lugar de trabajo y en todo foro público. Deben ser hombres y mujeres de oración, cuya fe, vital y vigorosa, esté enraizada en una profunda dedicación a la persona y mensaje de Jesús.

¿Por Qué Ser Católico? El Catecismo como camino está diseñado para ayudarnos a crecer en el entendimiento de nuestra fe y en la confianza que necesitamos para compartir con otros el amor de Dios, así como las creencias y prácticas de nuestra fe católica. Desde el panorama de las pequeñas comunidades, podemos hablar de nuestra propia experiencia de fe, en nuestra vida de familia, de Iglesia y de comunidad. Podemos también aprender de la fe y la sabiduría de nuestra Iglesia vivida en el curso de los siglos y recopiladas en el nuevo Catecismo.

De todo corazón les recomiendo este programa como acompañante en nuestro camino con Jesús, en nuestra misión de llenar de amor y de esperanza la vida de todo Su pueblo.

Monseñor Gerald R. Barnes
Obispo de la Diócesis de
San Bernardino

Introducción

Muchos católicos han heredado su fe sin saber por qué son católicos. Ellos no han tenido la formación sólida en la fe que les brinda el *Catecismo de la Iglesia Católica*. Por esta razón, RENEW International ha tomado las cuatro partes del *Catecismo* y ha desarrollado esta serie. *¿Por Qué Ser Católico? El Catecismo como camino.*

¿Por Qué Ser Católico? es un instrumento fácil de usar que individuos o pequeñas comunidades para compartir la fe pueden leer, orar con él o usar como referencia para apreciar el tesoro que contiene el *Catecismo de la Iglesia Católica*. Al usar estos materiales, esperamos que los participantes estudien el *Catecismo* con mayor profundidad, absorban sus enseñanzas, compartan la fe en Jesucristo y aprendan más sobre su fe para que ésta penetre cada aspecto de su vida.

Las reflexiones le ofrecen a los lectores un "sabor" del contenido del *Catecismo*. *¿Por Qué Ser Católico?* no intenta ser un compendio ni un resumen total del *Catecismo*, sino una ayuda para que las personas traten de ser más fieles a las enseñanzas de la Iglesia. Animamos a los fieles a leer secciones del *Catecismo* antes, durante y después de cada sesión.

En cierta forma, *¿Por Qué Ser Católico?* es una guía para el *Catecismo*. Sin embargo, es mucho más. Invita a los lectores y participantes a madurar en la fe nutriendo y fortaleciendo a todos los laicos, hombres y mujeres, en su llamada e identidad como personas de fe.

Estos cuatro libros pueden ser una vía para las personas descubrir su propia historia, su propia jornada sobre ser católico(a). ¿Qué quiere decir ser católico(a)? ¿Por qué sigo siendo católico(a)? ¿Por qué te hiciste católico(a)? Para ayudarles a descubrir su historia, recomendamos a los participantes llevar un diario y después de cada sesión anotar las creencias clave de la Iglesia Católica y sus propias reflexiones. Tendrán un tesoro de mucho valor para meditar y tal vez compartir con otros.

La Primera Parte del *Catecismo de la Iglesia Católica* se concentra en los grandes misterios de nuestra fe. La Segunda Parte hace hincapié en la celebración de nuestra fe en la liturgia sacramental. La Tercera Parte ayuda a explicar las enseñanzas morales de la fe católica. La Cuarta Parte se concentra más profundamente en nuestra relación con Dios y en cómo nutrimos esa relación por medio de la oración.

El primer libro en la serie *¿Por Qué Ser Católico? El Catecismo como camino* es *La profesión de nuestra fe: lo que creemos*, el cual considera las verdades que nosotros los católicos creemos y examina estos principios básicos de la fe. Nos da ideas profundas sobre lo que significa ser católico(a), siguiendo "el catecismo romano más antiguo", el Credo o Símbolo de los Apóstoles.

Si te estás reuniendo en una pequeña comunidad, es posible que desees reunirte en dos bloques de seis semanas cada uno o durante doce semanas consecutivas para cubrir todas las sesiones. Es posible que tu pequeña comunidad desee usar los otros tres libros basados en las otras partes del *Catecismo*, es decir, *La celebración del misterio cristiano: los sacramentos* (Segunda Parte); *La vida en Cristo: el camino con Dios* (Tercera Parte); y *La oración del cristiano: para profundizar mi experiencia de Dios* (Cuarta Parte).

Deseamos que estas reflexiones te lleven a una relación más íntima y auténtica con nuestro amoroso Padre Dios.

Principios y Pautas para Compartir la Fe

Cuando nos reunimos como cristianos para compartir nuestra fe y crecer juntos en comunidad, es importante seguir ciertos principios. Los siguientes Principios Teológicos mantendrán a tu comunidad focalizada y te ayudarán a crecer en la fe, la esperanza y el amor.

Principios

- Todos y cada uno de nosotros somos conducidos por Dios en nuestra jornada espiritual. Esto se lleva a cabo en el contexto de la comunidad cristiana.
- Cristo, la Palabra hecha carne, es la raíz de la fe cristiana. Es en Cristo y por Cristo que nos reunimos para compartir nuestra fe.
- Compartir la fe significa compartir reflexiones sobre cómo obra Dios en nuestra vida, en relación con la Sagrada Escritura y la fe de la Iglesia. Compartir la fe no es discutir ni estudiar la Biblia ni solucionar problemas. Su propósito es el encuentro entre una persona (en su circunstancia concreta) y el Dios amoroso, de manera que conduzca a un cambio de corazón.
- Todo el proceso de compartir la fe es una oración, pues es escuchar la palabra de Dios que se manifiesta en las experiencias de los demás.

- El propósito de compartir la fe es lograr nuestra unión con Cristo y con su Iglesia y en consecuencia con nuestro prójimo. La Iglesia nos brinda la autoridad de su guía y la dirección de obispos y sacerdotes. Nos nutrimos con la vida sacramental, y la comunidad de creyentes nos apoya para nuestra misión en el mundo.

Pautas

- El respeto, la honradez y la apertura de cada persona promoverán el crecimiento de la comunidad.
- Cada persona tiene la oportunidad de expresar sus sentimientos, y lo que desee compartir.
- El silencio es parte vital de todo el proceso. Por eso se guarda silencio antes de empezar a compartir y entre el compartir de las personas.
- Es preferible que alguien que desee participar por segunda vez espere a que todos lo hayan hecho por lo menos una vez.
- Los ingredientes esenciales para compartir la fe de manera fructífera son el sentirse aceptados y escuchados. Deberá existir un verdadero deseo de escuchar las experiencias de los demás sin juzgarlas. Si bien pueden surgir diferencias de opinión, es muy importante recordar que vamos a compartir nuestras experiencias personales lo cual no admite opinión ni debate.
- La confidencialidad es esencial. Lo que se comparte en la pequeña comunidad es sagrado y debe permanecer así para promover la confianza.
- La acción que surge de las reuniones del grupo es esencial para el crecimiento de los participantes y de la comunidad.
- Recuerden que el buen sentido del humor ayuda mucho.

Nota a los animadores de las pequeñas comunidades

El término "animador" viene de la palabra en latín *"animare"* que significa "dar vida". Se llama animador(a) a aquella persona que hace posible y promueve el tipo de participación que da vida al grupo.

Los animadores de las pequeñas comunidades son:

- Personas que animan la participación y el compartir de nuestra fe cristiana.
- Personas que promueven el crecimiento espiritual de la comunidad y sus miembros mediante la oración en común, la oración diaria, la reflexión con la Sagrada Escritura y creando un ambiente de oración en la reunión.

- Personas que logran que la comunidad ponga su fe en acción entre una reunión y la otra. No se sienten satisfechos con hacer lo mínimo, sino que siempre procuran que la fe de la comunidad tenga un impacto en la vida diaria de sus miembros, y en el mundo que los rodea.
- Personas que ayudan al grupo a mantenerse dentro del tema con claridad y flexibilidad. Suave y delicadamente incluyen a los más tímidos y establecen un ambiente de cariño y apertura que promueve la unión del grupo.

Los animadores de las pequeñas comunidades no son

- **Teólogos:** La naturaleza de la reunión es compartir la fe, por eso, si surge una cuestión teológica o bíblica, el(la) animador(a) debe consultar al párroco o a su equipo pastoral.
- **Consejeros:** La pequeña comunidad no es sitio para resolver problemas; no es lugar para lidiar con problemas emocionales personales. El(la) animador(a) no debe convertirse en terapeuta de personas con problemas emocionales tales como depresión, ansiedad e ira intensa. Cuando una persona comienza a exhibir estas tendencias, el(la) animador(a) debe llevar de nuevo al grupo a compartir la fe. Con la ayuda del párroco y/o el equipo pastoral, debe recomendar a la persona que busque consejería profesional.
- **Maestros:** El animador no es el maestro. Él o ella es discípulo(a) que aprende junto a los otros miembros del grupo. El maestro es el Espíritu Santo que está obrando de forma especial en el grupo y le enseña a cada miembro de una manera única.

Es importante señalar que los animadores no hacen comentarios largos antes de las preguntas, ni predican a los demás; no atemorizan, ridiculizan ni discuten con los participantes con palabras, gestos, expresiones ni tomando notas, ni con su tono de voz. El(la) animador(a) escucha con atención a cada uno de los participantes y hace una que otra pregunta sólo cuando sea necesario para mantener viva la conversación o para mantener a la pequeña comunidad dentro del tema.

El(la) animador(a) debe prepararse bien de antemano para entender correctamente las preguntas y el texto. Así puede adaptarse a las necesidades que surjan durante la reunión del grupo. Finalmente, el animador tiene la responsabilidad de dirigir las oraciones o de pedir a un miembro que lo haga.

Instrucciones para el uso de este libro

Cuando dos o más personas se reúnen en el nombre de Jesús, tenemos la seguridad de que, como él prometió, Cristo está allí (Mateo 18:20). Este libro ayuda a las comunidades a reflexionar sobre la Sagrada Escritura y el *Catecismo de la Iglesia Católica*. Sería de mucha ayuda si por lo menos algunos de los miembros del grupo, o todo el grupo, llevaran el *Catecismo* y la Biblia a su reunión. Le recomendamos la versión *Dios Habla Hoy* de la Sociedad Bíblica Americana, la cual puede pedir llamando al 1-800-322-4253 (en español si lo desea), o por el Internet en la página digital: www.biblias.org.

Las personas que se han reunido en grupos pequeños ya están familiarizadas con el proceso. Sin embargo, en este libro basado en el *Catecismo*, se hace hincapié en los grandes misterios de nuestra fe. Este material exige seria reflexión y nos ayuda a formar nuestros valores católicos. POR LO TANTO, ES IMPORTANTE QUE LOS PARTICIPANTES SE PREPAREN BIEN DE ANTEMANO PARA LA SESIÓN ANTES DE ASISTIR A LA REUNIÓN. Los animamos a que lean y reflexionen sobre la sesión misma, los pasajes de la Sagrada Escritura que se citen, y las secciones del *Catecismo* que les señalemos.

Si la comunidad no se ha reunido antes o si sus participantes no se conocen, dediquen tiempo para presentarse y conocerse. Las personas comparten con más facilidad cuando se sienten aceptados y a gusto en la comunidad.

La oración siempre deberá ser el corazón de nuestras reuniones cristianas. Por ese motivo, la mayor parte de las sesiones comienzan con: **Levantemos el corazón**, oración inicial para permitir que el Espíritu Santo obre en y por nosotros. Como parte de la oración sugerimos un canto, pero eso no quiere decir que no puedan elegir otro conocido que vaya con el tema. ¡Usen su creatividad! Los cantos sugeridos se encuentran en *Flor y Canto*, segunda edición de 2001 (vea Recursos Musicales al final).

Le sigue **Examinemos el *Catecismo*** y una reflexión basada en un pasaje bíblico que le dará a los miembros de la comunidad la oportunidad de reflexionar sobre lo que Jesús dijo, y de compartir su fe sobre el tema en particular. El diálogo puede durar unos 15 minutos. Una **Pregunta para compartir** ayuda al grupo a enfocar más claramente el tema.

Después de reflexionar sobre la Sagrada Escritura, hay tiempo adicional bajo **Continuemos examinando el *Catecismo***. Algunas citas son tomadas directamente del *Catecismo* y están destacadas en negritas. Parte del texto se ha resumido y escrito en otras palabras. Ya sea una cita

directa o escrita en forma diferente, el material del *Catecismo* se identifica por el párrafo que se encuentra entre paréntesis, tal como **(000)**.

Después de estas reflexiones aparecen las preguntas en
Compartamos nuestra fe. Deberán permitir unos 30 minutos para este
intercambio. Los grupos de compartir la fe varían mucho en cuanto a
sus antecedentes y composición. En algunas sesiones, puede que el
grupo desee comenzar con la siguiente pregunta: ¿Qué aprendí sobre
mi fe durante esta sesión? Explica.

Para el crecimiento espiritual de los participantes, del grupo y de la
Iglesia es esencial que lo que hagamos como respuesta –**Vivamos la
Buena Nueva**– sea algo concreto y que vaya más allá del grupo. Esto
hace que los participantes lleven su reflexión a su vida diaria con actos
concretos durante la semana. Cada sesión ofrece ideas para hacer algo,
no obstante, estas son sólo sugerencias. Es muy importante que los
miembros del grupo escojan una acción que sea realista y tangible.
Después de la primera semana, el animador(a) puede preguntarle a los
participantes cómo les fue al hacer algo concreto para vivir la Buena
Nueva durante la semana anterior.

Cada sesión concluye con una oración bajo **Levantemos el corazón**.

La duración típica de cada reunión es entre hora y media y dos
horas. Si bien a los hispanos nos toma más compartir, deberán evitar
que la reunión se alargue tanto que las personas no regresen más. Los
animadores deberán usar su buen juicio sobre este particular. Con esto
en mente, se sugiere el siguiente horario:

Tiempo para presentarse unos a otros (cuando el grupo es nuevo o
alguien nuevo se une al mismo)

Levantemos el corazón	10 min.
Compartamos nuestra Buena Nueva	5 min.
Examinemos el *Catecismo*	10 min.
Reflexionemos sobre la Sagrada Escritura y Pregunta para compartir	15 min.
Continuemos examinando el *Catecismo*	10 min.
Compartamos nuestra fe	25 min.
Vivamos la Buena Nueva	5 min.
Levantemos el corazón	10 min.

Nota: Los dibujos que se presentan en este libro están relaciona-
dos con la Palabra de Dios dentro del tema de la semana, así como con
las preguntas para compartir la fe. Les sugerimos que al inicio de cada
sesión informe a los miembros de la pequeña comunidad el motivo de
ambos dibujos en referencia a este tema.

El deseo de Dios

Ambiente

Una mesita con la Biblia, un cirio y si es posible, el *Catecismo de la Iglesia Católica. Se comienza en un ambiente de oración, silencio y quietud.*

Levantemos el corazón

Canto

"Himno de la Alegría", traducción de Federico J. Pagura, No. 632 en *Flor y Canto*, Oregon Catholic Press Publications (OCP) u otro sobre nuestro amor a Dios

Luego un miembro del grupo recita el siguiente poema:

> No me mueve, mi Dios, para quererte,
> el cielo que me tienes prometido,
> ni me mueve el infierno tan temido
> para dejar por eso de ofenderte.
>
> ¡Tú me mueves, Señor,! muéveme el verte
> clavado en una cruz, y escarnecido;
> muéveme ver tu cuerpo tan herido;
> muévenme tus afrentas, y tu muerte.
>
> Muéveme en fin, tu amor, y en tal manera,
> que aunque no hubiera cielo, yo te amara;
> y aunque no hubiera infierno, te temiera.
>
> No me tienes que dar, porque te quiera;
> pues aunque lo que espero no esperara,
> lo mismo que te quiero te quisiera.

(Se le atribuye a Santa Teresa de Jesús)

Oración

(Se lee despacio de lado a lado.)

Lado 1	A Ti suplico mi Dios. Escúchame.
Lado 2	He tratado de hacer tu voluntad, de actuar con amor. He rehusado la violencia; he tratado de caminar por tus senderos.
Lado 1	A veces me canso de buscarte, Señor. Pero sé que estás presente; que nunca te olvidas de mí.
Lado 2	Concédeme, Señor, la gracia de amarte y de siempre sentir tu presencia. Ayúdame a reconocer que eres Tú el que me llamas. Muéstrate, Señor, de una manera especial en este día para que encuentre al fin el verdadero descanso.
Todos	Amén, Señor, amén.

Examinemos el *Catecismo*

¿No es cierto que a veces nos preguntamos qué significado tiene la vida? ¿Quién es Dios? ¿Cómo está Dios presente en mi vida?

Como católicos creemos que el **deseo de Dios está inscrito en el corazón del hombre** porque Dios nos crea y constantemente nos atrae hacia sí a vivir en comunión cada vez más estrecha con él **(27)**. Dentro de cada persona hay un gran deseo de Dios y una añoranza por lo bueno y lo santo.

Reflexionemos sobre la Sagrada Escritura   Lucas 12:32-34

Observa este dibujo por un momento y coméntalo.

Pregunta para compartir

- Dentro de nuestro ser llevamos el deseo de alcanzar a ese Dios que nos ama. ¿Cuándo y de qué manera he deseado sentir a Dios? Sean específicos.

Continuemos examinando el *Catecismo*

Somos seres religiosos que en tantas y diversas formas durante los siglos hemos demostrado nuestra búsqueda de Dios **por medio... de oraciones, sacrificios, cultos, meditaciones, etc. (28).**

Pero a veces esta "unión íntima y vital con Dios" *(Gaudium et spes)* **puede ser olvidada, desconocida e incluso rechazada (29)** por el ser humano. Mas no importa cuántas veces nos olvidemos de Dios o lo rechacemos, Dios nos sigue buscando para que encontremos el verdadero camino hacia la felicidad **(30).**

Nuestra búsqueda de Dios exige **todo el esfuerzo de [nuestra] inteligencia, la rectitud de [nuestra] voluntad, "un corazón recto", y también el testimonio de otros que [nos] enseñen a buscar a Dios.** Qué paradoja tan sorprendente: Dios nos ha creado con un intenso deseo de Él, mas tenemos que estar dispuestos a responder con todo nuestro ser. San Agustín, que buscó en tantos lugares en dónde satisfacer sus deseos, finalmente encontró a Dios y nos recuerda en su oración: **"Nos** has hecho para ti y nuestro corazón está inquieto mientras no descansa en ti" (San Agustín, *Confesiones*, 1,1,1) **(30)**.

¿Cómo podremos conocer a Dios? Nuestro *Catecismo* describe ciertas **"vías" para acceder al conocimiento de Dios. Se las llama también "pruebas de la existencia de Dios", no en el sentido de las pruebas propias de las ciencias naturales, sino en el sentido de "argumentos convergentes y convincentes" que permiten llegar a verdaderas certezas (31)**. Podemos buscar en el mundo físico: en el mensaje de la creación, en la persona humana, y en la voz de la conciencia, y **alcanzar la certeza de la existencia de Dios (46)**.

Ciertamente sabemos que hay orden y dirección en nuestro mundo. Nuestros primeros astronautas, al observar el planeta Tierra, nos recordaron el poder de Dios y su creación. Hoy día escuchamos cada vez a un mayor número de científicos quienes mediante sus labores en física, microbiología, astronomía, y otras ciencias, llegan a la conclusión de que tiene que haber un Creador de toda esta magnífica obra.

Los físicos nos dicen que aparentemente cada partícula en el universo tiene una manera de "conocer" cada una de las otras partículas. En vez de que la ciencia explique la creación del mundo en términos exclusivamente científicos, vemos que cada vez más y más científicos reconocen que la fe no está muerta, sino bien viva. Según aumentan los descubrimientos de las ciencias, los científicos están viendo con los ojos de la fe el gran milagro que Dios ha creado. **A partir del movimiento y del devenir, de la contingencia, del orden y de la belleza del mundo se puede conocer a Dios como origen y fin del universo (32)**.

En segundo lugar, reconocemos que el ser humano tiene un alma que se abre a la verdad y la belleza, un sentido del bien moral, libertad y la voz de su conciencia, **con su aspiración al infinito y a la dicha... su alma... la "semilla de eternidad que lleva en sí"... no puede tener origen más que en Dios (33)....** Somos capaces de **acceder al conocimiento de la existencia de una realidad que es la causa primera y el fin último de todo, "y que todos llaman Dios"** (Santo Tomás de Aquino, *Summa theologiae*, I, 2, 3) **(34)**.

Sabemos que Dios existe pero, ¿cómo podremos hablar de Él? Se nos hace difícil porque **nuestro conocimiento de Dios es limitado,** y también lo es nuestro lenguaje **(40)**. **Nuestras palabras humanas quedan siempre más acá del Misterio de Dios (42).** Santo Tomás de Aquino nos recuerda que **"nosotros no podemos captar de Dios lo que Él es,** sino solamente lo que no es y cómo los otros seres se sitúan con relación a Él" (43). Por eso es bueno que compartamos nuestras experiencias de Dios los unos con los otros. Si bien Dios es un misterio, podemos, como comunidad de fe, captar rasgos de Él.

Como católicos, estamos unidos en una fe común. Creemos en Dios. Las demás diferencias son insignificantes comparadas con esta gran verdad. Ya seamos hombres o mujeres, de piel clara u oscura, conservadores o progresistas, de un partido político o de otro, lo que es importante es nuestra relación con Dios y su Creación.

Compartamos nuestra fe

- ¿Cómo obtenemos "prueba" de la existencia de Dios en el mundo físico?

- ¿Recuerdas una ocasión en la que la búsqueda de Dios te dio paz?

- ¿Qué cosas he buscado para mitigar mi hambre espiritual?

- ¿Cómo he respondido a la gracia de Dios?

- ¿Cómo me ocuparé de mi vida espiritual esta semana? ¿Cómo pondré mi vida en las manos de Dios?

Vivamos la Buena Nueva

Decide hacer algo específico esta semana como resultado de lo que acaban de compartir. Esto es de suma importancia.

Cuando hayas escogido lo que vas a hacer, compártelo con el grupo. Si el grupo completo decide hacer algo, decidan quién hará qué y para cuándo.

A continuación les damos sugerencias adicionales:

- Lleva un diario, y cada día escribe las maneras en las que buscas a Dios.

- Reflexiona sobre el poema de Santa Teresa y comparte tus pensamientos con otro miembro del grupo.

- Anota las formas en que ves el poder de Dios activo en nuestro mundo. Compártelas con tu grupo en la próxima reunión.

- Comparte tu creencia en la existencia de un Dios amoroso con un compañero de trabajo, vecina o vecino o un familiar.

Levantemos el corazón

Oremos juntos

Oh Dios, Creador nuestro,
como respuesta a tu gracia,
vamos constantemente en busca de Ti.
Ayúdanos a escuchar en este día
el sonido de tus pasos suaves y serenos
según Tú te muestras a nosotros,
y anhelas encontrarnos en medio de nuestras conversaciones
y los momentos vacíos de nuestra atareada vida.
Ayúdanos, Dios de amor, a descansar en Ti.
Esto te lo pedimos en nombre de tu Hijo, Jesucristo,
nuestro Señor, en unidad del Espíritu Santo. Amén.

Compartamos el saludo de la paz.

Para la próxima semana...

- Prepárate bien leyendo con devoción la **Segunda Sesión: La Revelación de Dios: La Tradición y la Escritura** y los párrafos del 50 al 141 del **Catecismo de la Iglesia Católica**.

- Escojan de antemano un canto sobre cómo Dios se muestra a nosotros.

La Revelación de Dios: la Tradición y la Sagrada Escritura

Ambiente

Una mesita con la Biblia, un cirio y si es posible, el *Catecismo de la Iglesia Católica. Se comienza en un ambiente de oración, silencio y quietud.*

Levantemos el corazón

Canto

"Tu Palabra Me Da Vida", por Juan A. Espinosa, No. 495 en *Flor y Canto*, Oregon Catholic Press Publications (OCP) u otro canto similar

Oremos juntos y despacio

Amoroso Dios y Padre nuestro,
abre nuestros corazones y mentes
para que comprendamos tus palabras.
Permite que tu gracia descienda sobre nuestros
corazones y dé fruto.
Danos el valor de escuchar y reflexionar
sobre todo lo que nos has enseñado.

Ayúdanos a echar a un lado nuestra vieja forma de ser
y a adoptar una nueva manera espiritual de pensar.
Recuérdanos que podemos ser "personas nuevas"
creadas a tu imagen.
Y recuérdanos que tenemos que escuchar y creer en tu Palabra
para llegar a ser una nueva creación.
Esto te lo pedimos en nombre de Jesucristo nuestro Señor.
Amén.

Compartamos nuestra Buena Nueva

Compartan cómo les fue al vivir la Buena Nueva la semana pasada.

Examinemos el *Catecismo*

Dios nos ama tanto que nos creó capaces de conocer su voluntad y amarle **más allá de lo que** [seríamos] **capaces por** [nuestras] **propias fuerzas (52).** En el curso de la historia, Dios se ha comunicado con nosotros de una manera gradual revelándose por etapas **(54-64).** Finalmente, Dios revela plenamente **su designio benevolente** enviando a Jesús **(50).**

Las enseñanzas de Jesús le fueron dadas a sus seguidores y llegaron hasta nosotros por medio de sus discípulos y apóstoles. Estas enseñanzas y tradiciones se desarrollaron en la Iglesia mediante el poder del Espíritu Santo. Este conjunto de verdades creció y fue conocido como la Sagrada Tradición y la Sagrada Escritura. La Tradición continúa creciendo hoy día mediante las enseñanzas y prédicas del Papa y los Obispos quienes, siendo fieles a su llamado, la han recibido mediante la sucesión apostólica **(80-82).** Con el estudio y la contemplación de la Tradición, el Pueblo de Dios enriquece su vida espiritual y la de toda la Iglesia.

Ambas, la Sagrada Escritura y la Tradición, fluyen de la misma fuente divina, el misterio del amor de Dios hacia nosotros en Cristo Jesús y del poder del Espíritu Santo. Las dos transmiten la herencia apostólica y permanecen basadas en reglas para la Iglesia en cada época.

La antigua comunidad cristiana estaba muy consciente de que Jesús era la plena revelación de Dios y mantuvo vivas las historias sobre Jesús. San Pedro exhorta a los primeros cristianos a ponerle atención a Cristo y a su mensaje.

Reflexionemos sobre la Sagrada Escritura   2 Pedro 1:12-21

Observa este dibujo por un momento y coméntalo.

Pregunta para compartir

- ¿Cómo me ayudan la Sagrada Escritura y la Tradición a conocer mejor a Dios?

Continuemos examinando el *Catecismo*

Jesús instruyó **"a los apóstoles a predicar a todos los hombres el Evangelio como fuente de toda verdad salvadora y de toda norma de conducta, comunicándoles así los bienes divinos: el Evangelio prometido por los profetas... (75). La transmisión del Evangelio, según el mandato del Señor, se hizo de dos maneras:** *oralmente:* **"los apóstoles, con su predicación, sus ejemplos, sus instituciones, transmitieron de palabra lo que habían aprendido de las obras y palabras de Cristo y lo que el Espíritu Santo les enseñó";** (*Dei Verbum, 7)* [y] *por escrito:* **"los mismos apóstoles y otros de su generación pusieron por escrito el mensaje de la salvación inspirados por el Espíritu Santo"** *(Dei Verbum, 7)* **(76).**

Para garantizar la integridad del Evangelio y que las enseñanzas de Jesús se conservaran, **"los apóstoles nombraron como sucesores a los obispos, 'dejándoles su cargo en el magisterio'"** *(Dei Verbum, 7 § 2;* San. Ireneo, *Adv. Haeres.* 3,3,1: PG 7, 848; Harvey, 2, 9). **Esta transmisión viva, llevada a cabo en el Espíritu Santo es llamada la Tradición... (77-78).** La tarea de dar una interpretación auténtica a la Palabra de Dios se le ha encomendado al Magisterio vivo de la Iglesia: el Papa y los obispos en comunión con él **(100).**

De hecho, los papas y los obispos no toman decisiones en materias de fe y moral aisladamente. Ellos reflexionan con "el cuerpo" de los fieles católicos que tienen dones particulares **(91)**. El diálogo entre los teólogos y el Magisterio de la Iglesia es mutuamente beneficioso para edificar el Cuerpo de Cristo. El diálogo entre todos los fieles es necesario. El Papa y los obispos que reciben el poder y la inspiración del Espíritu Santo en virtud de su oficio, son los responsables de transmitir auténticamente las verdades que nos han sido reveladas **(100)**.

Dios es el autor de la Sagrada Escritura. Como católicos, entendemos que las Escrituras (que se componen de 46 libros en el Antiguo Testamento y 27 en el Nuevo Testamento) son la Palabra inspirada de Dios. Dios eligió a ciertas personas que mediante sus propios conocimientos, vocabulario y destrezas literarias, fueron inspiradas por el Espíritu Santo para enseñar las verdades que Él quería enseñar **(105-108)**.

Cuando los evangelistas escribieron los Evangelios, no lo hicieron por sí solos sino que usaron los relatos que se contaban una y otra vez y que daban testimonio de la fe de las primeras comunidades cristianas. Esos relatos narraban los acontecimientos de la vida de Jesús y sus enseñanzas según las entendía la comunidad guiada por el Espíritu Santo. De hecho, fue una serie de consejos locales de los primeros cristianos en África del Norte (celebrados en Hippo en el año 393 d. C. y en Cartago en los años 397 y 419 d. C.), los que determinaron el Canon de la Escritura (la lista de libros bíblicos reconocidos como de inspiración divina). Los Evangelios verdaderamente poseen una dimensión social y comunitaria.

Los libros de la Biblia fueron escritos en varias formas literarias. **En la Sagrada Escritura, Dios habla al [ser humano] a la manera de los [humanos]. Por tanto, para interpretar bien la Escritura, es preciso estar atento a lo que los autores humanos quisieron verdaderamente afirmar y a lo que Dios quiso manifestarnos mediante sus palabras** (vea Concilio Vaticano II, *Dei Verbum*, 12 § 1) (109). Para descubrir la intención de los autores sagrados es preciso tener en cuenta las condiciones de su tiempo y de su cultura, los "géneros literarios" usados en aquella época, las maneras de sentir, de hablar y de narrar en aquel tiempo **(110)**.

El Concilio Vaticano II señala *tres criterios* **para una interpretación de la Escritura conforme al Espíritu que la inspiró** (vea Concilio Vaticano II, *Dei Verbum,* 12 § 3). **1. Prestar una gran atención "al contenido y a la unidad de toda la Escritura". 2. Leer la Escritura en "la**

Tradición viva de toda la Iglesia". 3. Estar atento a la analogía de la fe (vea Romanos 12: 6). **Por "analogía de la fe" entendemos la cohesión de las verdades de la fe entre sí y en el proyecto total de la Revelación (111-114).** Además tenemos que leer la Escritura distinguiendo entre el sentido literal y el sentido espiritual **(115-119).**

Es importante para nosotros entender el estilo en que se escribe la Escritura así como los tiempos en los cuales fue escrita. Es de igual importancia ver el Nuevo Testamento como un reflejo de la antigua comunidad cristiana moviéndose con la inspiración del Espíritu Santo. Sería engañoso que cada cual tuviera su propia interpretación de la Biblia ya que estas personas se estarían separando del cuerpo de los creyentes, de la comunidad de creyentes y del cuerpo de verdades de donde se originó la Escritura. Cristo habló con autoridad y la Iglesia nos presenta la Escritura bajo la autoridad del Espíritu Santo.

La Sagrada Escritura penetra y nutre los aspectos de la vida de la Iglesia. Se nos anima a aprender y a conocer la Escritura para poder conocer a Jesús **(131-133).**

Compartamos nuestra fe

- Comparte tu pasaje favorito de la Escritura. ¿Qué impacto ha tenido este pasaje en la manera en que vivo?

- La Escritura incluye relatos y cartas a la antigua comunidad cristiana y cómo Dios obra en la vida de las personas y sus circunstancias. ¿Qué significa esto para nosotros? ¿Cómo entendemos la Escritura hoy día?

- ¿Por qué es importante en nuestra Iglesia que la Tradición sea guiada por el Espíritu Santo? ¿Qué pasaría si cada persona interpretara la Escritura por sí sola?

- ¿Qué puedo hacer para conocer mejor la Sagrada Escritura? ¿Qué haré?

Vivamos la Buena Nueva

Decide hacer algo específico esta semana como resultado de lo que acaban de compartir. Esto es de suma importancia.

Cuando hayas escogido lo que vas a hacer, compártelo con el grupo. Si el grupo completo decide hacer algo, decidan quién hará qué y para cuándo.

A continuación les damos sugerencias adicionales: .

- Estudia los párrafos del 50 al 141 del *Catecismo.* Anota tus sentimientos.

- Asiste a una clase sobre la Sagrada Escritura para aprender más sobre ella.

- Lee un pasaje de la Biblia cada día. Enfócate en una frase u oración del pasaje y repítela con frecuencia durante el día.

- Léele relatos de la Biblia a tus hijos, nietos u otros jóvenes. Puedes usar una Biblia para los niños, dependiendo de sus edades.

Levantemos el corazón

Respuestas a las peticiones: Espíritu de Dios, Espíritu de Bondad, llénanos.

- Para que aumente nuestro deseo por aprender sobre la Escritura, y apreciemos más la sagrada Tradición que se nos ha dado en la Iglesia, te pedimos, Señor,

- Que seamos inspirados por el estudio de la Sagrada Escritura,

- Que el amor hacia la Sagrada Escritura llene nuestros corazones, te pedimos...

- Para que podamos comprender y respetar el valor de la Tradición de la Iglesia...

- Presenten peticiones espontáneas...

Oremos juntos

Dios nuestro, Padre celestial,
te has mostrado en muchas formas.
Nos has dado la Sagrada Tradición y la Sagrada Escritura
para enseñarnos más sobre ti.
Dirige nuestras mentes y corazones
para leer y meditar sobre tus palabras
y amarlas con todo nuestro corazón.
Danos esta gracia, oh Dios.
Te la pedimos en el nombre de Jesús. Amén.

Para la próxima semana...

- Prepárate bien leyendo con devoción la **Tercera Sesión: La fe: creo, creemos** y los párrafos del 142 al 231 del *Catecismo de la Iglesia Católica.*

La fe: creo, creemos

Ambiente

Una mesita con la Biblia, un cirio y si es posible, el *Catecismo de la Iglesia Católica. Se comienza en un ambiente de oración, silencio y quietud.*

Levantemos el corazón

Canto

"Quiero Decirte que Sí", por Cesáreo Gabaráin, No. 496 en Flor *y Canto,* Oregon Catholic Press Publications (OCP) u otro canto sobre nuestra fe

Oración (Salmo 111 se lee despacio de lado a lado)

> Lado 1 ¡Alabado sea el Señor!
> Alabaré al Señor de todo corazón
> en la comunidad entera.

> Lado 2 Las obras del Señor son grandes,
> y quienes las aman las estudian.

> Lado 1 Su obra es bella y esplendorosa,
> y su justicia permanece para siempre.

> Lado 2 Ha hecho inolvidables sus maravillas.
> El Señor es tierno y compasivo.

> Lado 1 ¡Da alimentos a los que le honran;
> se acuerda siempre de su pacto!

Lado 2	Mostró a su pueblo el poder de sus obras, dándole lo que era posesión de los paganos.
Lado 1	Lo que él hace es justo y verdadero; se puede confiar en sus mandamientos, pues son firmes hasta la eternidad y están hechos con verdad y rectitud.
Lado 2	Dio libertad a su pueblo y afirmó su pacto para siempre. Dios es santo y terrible.
Lado 1	La mayor sabiduría consiste en honrar al Señor; los que le honran, tienen buen juicio. ¡Dios será siempre alabado!
Todos	Gloria al Padre, al Hijo y al Espíritu Santo, como era en un principio, ahora y por siempre. Amén.

Compartamos nuestra Buena Nueva

Compartan cómo les fue al vivir la Buena Nueva la semana pasada.

Examinemos el *Catecismo*

Es probable que el asunto más crítico e importante para nosotros hoy día sea la fe. Vivimos en tiempos de constante cambio y confusión. Por eso la pregunta fundamental que se nos presenta es: ¿En verdad creemos? Dios nos invita constantemente a una vida llena de gracia, amor y bondad. Tenemos una alternativa que podemos elegir. Por medio de la fe, le podemos responder, "Sí, Señor, yo me ofrezco a Ti. Haz conmigo lo que desees". La Sagrada Escritura le llama a esta respuesta la "obediencia de la fe" **(142-143)**.

Escuchemos la Carta a los Hebreos que habla sobre la fe de personajes bíblicos y la llamada a la fe que cada uno de nosotros hemos recibido.

Reflexionemos sobre la Sagrada Escritura   Hebreos 11:1-12

Observa este dibujo por un momento y coméntalo.

Pregunta para compartir

- ¿Cómo comparo mi fe con la fe de las personas en esta lectura de Hebreos, o con la fe de María y la de aquellas en los textos del Nuevo Testamento, tales como Pedro, Isabel o María Magdalena?

Continuemos examinando el *Catecismo*

El Espíritu Santo nos capacita para creer. ¿Qué es lo que creemos?

Creemos en Dios Padre y creemos que podemos confiar en Él absolutamente. Creemos en Jesús que fue enviado por el Padre para revelarnos el misterio de la Santísima Trinidad. Creemos en el Espíritu Santo que nos revela quien es Jesús. Nadie comprende los pensamientos de Dios, excepto el Espíritu de Dios (1 Corintios 2:10-11). **Sólo Dios conoce a Dios enteramente. Nosotros creemos *en* el Espíritu Santo porque es Dios (152).**

La fe es un don gratuito de Dios que nos permite vislumbrar la vida eterna cuando veremos a Dios tal como es en realidad (1 Corintios 13:12) **(162-163)**. Sin la gracia de Dios, es imposible creer en la Santísima Trinidad o vivir una vida moral y buena. **Sólo es posible creer por la gracia y los auxilios interiores del Espíritu Santo.** Asentimos a las verdades divinas mediante ambos, nuestro intelecto humano y la gracia de Dios **(154)**. Por lo tanto, si bien la fe es un don, también requiere nuestra respuesta, nuestro sí". **El *motivo* de creer no radica en** nuestra mera razón natural, sino en nuestra aceptación del poder y la autoridad de Dios y el movimiento del Espíritu en nuestro interior **(156)**.

La fe es *cierta*, más cierta que todo conocimiento humano, porque se funda en la Palabra misma de Dios, que no puede mentir (157). *"La fe busca la comprensión"* (San Anselmo). La fe abre nuestro corazón a un conocimiento vivo del contenido de la Revelación, es decir, de todos los designios de Dios y los misterios de nuestra fe **(158)**. [La fe y la ciencia no se contradicen] **"La investigación metódica en todas las disciplinas, si se procede de un modo realmente científico y según las normas morales, nunca estará realmente en oposición con la fe, porque las realidades profanas y las realidades de fe tienen su origen en el mismo Dios"** (Concilio Vaticano II: *Gaudium et spes*, 36 § 2) **(159)**. ¡Qué mundo tan maravilloso el que Dios ha creado! Mediante la fe podemos conocer profundamente sus maravillas.

Debido a que la fe es un don, no es algo que se pueda merecer sino que es dada libremente y tiene que ser libremente recibida. Jesús **invitó a la fe y a la conversión, Él no forzó jamás a nadie (160)**. De hecho, la fe se puede perder, y para poder perseverar en ella **debemos alimentarla con la Palabra de Dios; debemos pedir al Señor que la aumente;** (vea *Marcos* 9: 24; *Lucas* 17: 5; 22, 32) tenemos que ayudar a que nuestra fe crezca mediante actos de caridad y tenemos que radicar nuestra fe en la Iglesia **(162)**. **El mundo en que vivimos parece con frecuencia muy lejos de lo que la fe nos asegura; las experiencias del mal y del sufrimiento, de las injusticias y de la muerte parecen contradecir la buena nueva, pueden estremecer la fe y llegar a ser para ella una tentación (164). Entonces es cuando debemos volvernos hacia los *testigos de la fe*:** personas como Abraham y la Virgen María **(165)**. Es entonces cuando debemos dar testimonio los unos a los otros de la fe que cada uno de nosotros ha recibido.

La fe es un acto personal.... Pero la fe no es un acto aislado.... Nuestro amor a Jesús y a los hombres nos impulsa a hablar a [otros] de nuestra fe. Cada creyente es como un eslabón en la gran cadena de los creyentes. Yo no puedo creer sin ser sostenido por la fe de los otros, y por mi fe yo contribuyo a sostener la fe de los otros (166). En el Credo de los Apóstoles cada uno de nosotros proclamamos, "Creo" y en el Credo Niceno, como comunidad proclamamos, "Creemos". Como creyentes, individual y comunalmente, proclamamos que seguiremos los caminos de Dios; que viviremos una vida de fe.

Compartamos nuestra fe

- ¿Hubo acaso un punto en mi vida en que la fe que heredé verdaderamente llegó a ser *mi* fe? Explica.

- ¿Cómo me llevó Dios a escoger la fe? Comparte los factores específicos que te llevaron a responderle a Dios y convertirte en un(a) creyente.

- ¿Cómo me ayuda mi fe a vivir una vida moral y de gracia? ¿Cómo me ayuda a crecer en la fe si vivo una vida moral y buena?

- ¿Qué necesito para que mi fe se fortalezca y crezca?

Vivamos la Buena Nueva

Decide hacer algo específico esta semana como resultado de lo que acaban de compartir. Esto es de suma importancia.

Cuando hayas escogido lo que vas a hacer, compártelo con el grupo. Si el grupo completo decide hacer algo, decidan quién hará qué y para cuándo.

A continuación les damos sugerencias adicionales:

- Lee y reflexiona sobre el Credo de los Apóstoles o el Credo Niceno durante la semana entrante. Haz una pausa después de cada sección y conscientemente proclama tu creencia en voz alta.

- Escribe en tu diario personal sobre tu fe.

- Comparte tus creencias con un amigo(a) o con un miembro de tu parroquia.

Levantemos el corazón

Recemos juntos el Credo de los Apóstoles. Nos vamos a detener después de cada oración para reflexionar en silencio.

Creo en Dios, Padre Todopoderoso,
    Creador del cielo y de la tierra.

Creo en Jesucristo, su único Hijo, Nuestro Señor,
que fue concebido por obra y gracia del Espíritu Santo,
nació de Santa María Virgen,
padeció bajo el poder de Poncio Pilato
fue crucificado, muerto y sepultado,
descendió a los infiernos,
al tercer día resucitó de entre los muertos,
subió a los cielos,
y está sentado a la derecha de Dios, Padre
Todopoderoso.
Desde allí ha de venir a
juzgar a vivos y muertos.

Creo en el Espíritu Santo,
la santa Iglesia católica,
la comunión de los santos,
el perdón de los pecados,
la resurrección de la carne,
y la vida eterna. Amén.

Cada persona se vira hacia la persona a su derecha y con su dedo hace la señal de la cruz sobre la frente de esa persona diciendo despacio al mismo tiempo: "En el Nombre del Padre, y del Hijo, y del Espíritu Santo. Amén".

Para la próxima semana...

- Prepárate bien leyendo y estudiando con devoción la **Cuarta Sesión: La Trinidad** y los párrafos del 232 al 278 del *Catecismo de la Iglesia Católica.*

La Trinidad

Ambiente

Una mesita con la Biblia, un cirio y si es posible, el *Catecismo de la Iglesia Católica. Se comienza en un ambiente de oración, silencio y quietud.*

Levantemos el corazón

Canto

"Canta Lengua Jubilosa", por Sto. Tomás de Aquino, No. 381 en *Flor y Canto,* Oregon Catholic Press Publications (OCP) u otro himno de alabanza a la Santísima Trinidad

Oración (Salmo 67) (Se reza despacio de lado a lado por dos grupos.)

Lado 1   Oh Dios, ten compasión de nosotros y bendícenos;
míranos con buenos ojos,

Lado 2   para que todas las naciones de la tierra
conozcan tu voluntad y salvación.

Lado 1   Oh Dios, que te alaben los pueblos;
¡que todos los pueblos te alaben!

Lado 2   Que las naciones griten de alegría,
pues tú gobiernas los pueblos con justicia;
¡tú diriges las naciones del mundo!

Lado 1   Oh Dios, que te alaben los pueblos;
¡que todos los pueblos te alaben!

Lado 2   La tierra ha dado su fruto;
¡nuestro Dios nos ha bendecido!

Lado 1 ¡Que Dios nos bendiga!
Que le rinda honor el mundo entero!

Todos Gloria al Padre, al Hijo y al Espíritu Santo,
como era en un principio, ahora y por siempre. Amén.

Compartamos nuestra Buena Nueva

Compartan cómo les fue al vivir la Buena Nueva la semana pasada.

Examinemos el *Catecismo*

Como cristianos, hacemos un acto profundo de fe cada vez que decimos, "En el nombre del Padre, y del Hijo, y del Espíritu Santo". Proclamamos que creemos en un Dios que es Padre, Hijo, y Espíritu Santo: la Santísima Trinidad. **El misterio de la Santísima Trinidad es el misterio central de la fe y de la vida cristiana. Es el misterio de Dios en sí mismo (234).** Es el misterio del amor –un amor dinámico eterno– las tres personas de la Trinidad realizando su **"designio amoroso" de creación, de redención, y de santificación (235).**

Reflexionemos sobre la Sagrada Escritura   Juan 14:9-21, 25-26

Observa este dibujo por un momento y coméntalo.

Pregunta para compartir

- La Trinidad es una comunión de amor a la que somos invitados a participar. La Trinidad es una comunión de tres únicas y divinas personas, que eternamente participan en una relación de conocer y amar. A nosotros también se nos capacita para conocer y amar, para ser conocido y ser amado. ¿Qué nos dice el misterio de la Trinidad sobre las maneras en que Dios ama?

Continuemos examinando el *Catecismo*

La Trinidad es un misterio de fe en sentido estricto, uno de los "misterios escondidos en Dios..." (Concilio Vaticano I: *DS*, 3015) **un misterio inaccesible a la sola razón e incluso a la fe de Israel antes de la Encarnación del Hijo de Dios y el envío del Espíritu Santo. (237).**

Cuando el Padre envió a Jesús, Dios se dio a conocer como Padre, Hijo, y Espíritu Santo. Jesús reveló esta unión dinámica de amorosa comunión y le hizo un llamado a todos sus seguidores a participar en esta relación de amor.

Llamamos a Dios **Padre en cuanto Creador del mundo** (vea Deuteronomio 32:6; Malaquías 2:10) **(238).** Él es el Padre de donde procedió el Hijo desde toda la eternidad. **No es hombre ni mujer, es Dios (239).**

Jesús llamó a Dios su Padre y nos dice que fue enviado por su Padre para ser nuestro Salvador. Jesús mismo dio a conocer que el Padre se relaciona con el Hijo. Entre ellos existe una relación total de amor. Ellos son uno. "Nadie conoce realmente al Hijo, sino el Padre; y nadie conoce realmente al Padre, sino el Hijo y aquellos a quienes el Hijo quiera darlo a conocer" (Mateo 11:27) **(240).**

Antes de su Pascua, Jesús anuncia el envío de "otro Paráclito" (Defensor), el Espíritu Santo.... El Espíritu Santo es revelado así como otra persona divina con relación a Jesús y al Padre (243). El Espíritu Santo es enviado a los apóstoles y a la Iglesia... tras la glorificación de Jesús (vea Juan 7:39) **revela en plenitud el misterio de la Santísima Trinidad (244).** El Santo Espíritu es el Espíritu del Padre y del Hijo **(245).**

La verdad revelada de la Santísima Trinidad ha estado desde los orígenes en la raíz de la fe viva de la Iglesia... (249). Durante los primeros siglos, mediante varios concilios, la Iglesia procuró clarificar la noción de la Trinidad para profundizar su propio entendimiento del misterio. La Iglesia concluyó lo siguiente:

1) *La Santísima Trinidad es una.* **No confesamos tres dioses sino un solo Dios en tres personas.**

2) *Las personas divinas son realmente distintas entre sí.* En otras palabras, Dios como Padre, Hijo, y Espíritu Santo **no son simplemente nombres que designan modalidades del ser divino**, sino distintas personas.

3) *Las personas divinas* viven en relación **unas a otras.** Tienen una misma naturaleza. **"A causa de esta unidad el Padre está todo en el Hijo, todo en el Espíritu Santo; el Hijo está todo en el Padre, todo en el Espíritu Santo; el Espíritu Santo está todo en el Padre, todo en el Hijo"** (Concilio de Florencia) **(253-255).**

Lo magnífico del misterio de la Santísima Trinidad es no sólo que Dios es una comunión dinámica de amor, sino que también se nos invita a participar en esa comunión de amor. Mediante nuestro bautismo, "nacemos de nuevo" a la vida divina. Mediante el Espíritu Santo que habita en nuestros corazones, podemos compartir más íntimamente la vida de las tres Divinas Personas. Nos encontramos arrebatados por el amor de Dios. En el capítulo 14 del Evangelio de San Juan, Jesús nos dice que él está en el Padre y el Padre está en él, y que nosotros, a su vez, estamos invitados a participar en esa dinámica del amor. He aquí nuestro mandato como cristianos: se nos invita a ser una comunidad de amor.

Ser comunidad es posible para nosotros, no por ningún mérito nuestro, sino porque Dios es comunidad y él nos invita a participar en su Vida Divina. Los que obedecen los mandamientos de Dios serán amados por él en ese bello lazo que existe entre el Padre y el Hijo, Jesús (Juan 14:21). Cuando Dios nos ayuda a vivir una vida de amor incondicional, estamos, de hecho, viviendo la "vida" del Espíritu Santo. **El fin último de toda la economía divina es el acceso de las criaturas en la unidad perfecta de la Bienaventurada Trinidad** (vea Juan 17:21-23). **Somos llamados a ser habitados por la Santísima Trinidad (260).**

Compartamos nuestra fe

- Comparte qué es la Santísima Trinidad para ti. ¿Cómo me relaciono con Dios Padre, con Jesús el Hijo o con el Espíritu Santo?

- Jesús dice: "El que me ama, hace caso de mi palabra; y mi Padre lo amará, y mi Padre y yo vendremos a vivir con él" (vea Juan 14:23). Comparte alguna experiencia que hayas tenido de una comunidad dinámica de amor. ¿Me di cuenta de que estaba participando en el misterio de la Trinidad?

- ¿Cuáles son algunas de las maneras en las que estoy invitado(a) a una comunión de amor (en mi familia, parroquia, comunidad, etc.)?

- ¿Cómo trato yo de invitar a otros a pertenecer a una comunión de amor?

Vivamos la Buena Nueva

Decide hacer algo específico esta semana como resultado de lo que acaban de compartir. Esto es de suma importancia.

Cuando hayas escogido lo que vas a hacer, compártelo con el grupo. Si el grupo completo decide hacer algo, decidan quién hará qué y para cuándo.

A continuación les damos sugerencias adicionales:

- Lee y reflexiona sobre los párrafos 232-278 del *Catecismo*.

- Cada vez que hagas la señal de la cruz, sé consciente de la relación de amor entre Dios Padre, Dios Hijo y Dios Espíritu Santo.

- Si eres padrino de alguien, háblale o escríbele a tu ahijado(a) sobre el amor que Dios siente por cada uno de nosotros.

- Si llevas un diario de oración, haz una lista de las personas que te han dado la bienvenida a una comunidad de amor y describe cómo esa amistad o relación te llevó a comprender mejor a la Santísima Trinidad. Escríbele una carta a la persona o personas expresándole(s) cómo ellos o ellas han afectado tu vida.

Levantemos el corazón

Concluyan con oraciones espontáneas de adoración.

Oremos todos juntos

Oh Dios mío,
Trinidad que adoro,
ayúdame a olvidarme por completo de mí mismo

[y a descansar] en ti,
inmovible y apacible
cual si mi alma ya estuviese en la eternidad.
Que nada turbe mi paz
o me haga abandonarte,

¡Oh mi Dios que nunca cambias,
sino que cada minuto me acerque
más profundamente a tu misterio!
Concédele paz a mi alma.
Haz de ella tu paraíso,
tu amada morada, tu lugar de descanso.
Que nunca te abandone allí,
sino que habite allí completamente,
velando siempre por mi fe,
adorándote a cada instante,
y entregada totalmente
a tu obra creadora.

Beata Isabel de la Trinidad

Para la próxima semana…

- Prepárate bien leyendo y estudiando con devoción la **Quinta Sesión: El Misterio de la Creación** y los párrafos del 279 al 421 del *Catecismo de la Iglesia Católica*.

El Misterio de la Creación

Ambiente

Una mesita con la Biblia, un cirio y si es posible, el *Catecismo de la Iglesia Católica. Se comienza en un ambiente de oración, silencio y quietud.*

Levantemos el corazón

Canto

"Canto de Toda Criatura", por Arsenio Córdova, No. 730 en *Flor y Canto*, Oregon Catholic Press Publications (OCP) u otro canto de alabanza a la Creación

Oremos juntos y despacio

> Alabado seas Señor, por todas tus criaturas,
> y en especial por el querido hermano sol,
> que alumbra y abre el día, y es bello en su esplendor
> y lleva por los cielos noticias de su Autor…
>
> Y por la hermana agua, preciosa en su candor
> que es útil, casta, humilde, alabado seas mi Señor.
> Por el hermano fuego que alumbra al irse el sol,
> y es fuerte, hermoso, alegre, alabado seas mi Señor.
>
> Y por la hermana tierra que es toda bendición,
> hermana madre tierra que da en toda ocasión
> las hierbas y los frutos y flores de color.
> Y por el aire, las nubes y la calma,
> alabado seas mi Señor.
>
> *Cántico de las Criaturas*, San Francisco de Asís

Compartamos nuestra Buena Nueva

Compartan cómo les fue al vivir la Buena Nueva la semana pasada.

Examinemos el *Catecismo*

Hemos oído muchas veces el recuento de la historia de la creación. "En el comienzo de todo Dios creó el cielo y la tierra" (Génesis 1:1). **El Nuevo Testamento revela que Dios creó todo por el Verbo Eterno, su Hijo amado…. La fe de la Iglesia afirma también la acción creadora del Espíritu Santo: él es el "dador de vida…"** (Símbolo de Nicea-Constantinopla), **"el Espíritu Creador"** (*Liturgia de las Horas*, Himno *"Veni, Creator Spiritus"*) **(291)**. La Santísima Trinidad ha creado todo lo que existe.

Reflexionemos sobre la Sagrada Escritura   Génesis 1—2:4
                                           (la historia de la Creación)

Observa este dibujo por un momento y coméntalo.

"Cuanto había hecho era muy bueno."

Pregunta para compartir

- Creemos que Dios creó al mundo con gran sabiduría, amor y orden. Durante el proceso de la Creación, "Dios [vio] que todo era muy bueno" (Génesis 1:4ss). Mediante la creación, compartimos la bondad de Dios. ¿Cómo vemos y sentimos la bondad de Dios en la creación?

Continuemos examinando el *Catecismo*

Dios no creó el mundo como un producto terminado completamente perfecto, sino que creó el universo **"en estado de vía" ("*in statu viae*")** **hacia una perfección última todavía por alcanzar (302).** Él continúa guiando nuestra "peregrinación" mediante su "divina providencia". [Dios] **tiene cuidado de todo, de las cosas más pequeñas hasta los grandes acontecimientos del mundo y de la historia (303). Jesús pide un abandono filial en la providencia del Padre celestial:** "Así que no se preocupen, preguntándose: ¿Qué vamos a comer? o ¿Qué vamos a beber?… Ustedes tienen un Padre celestial que ya sabe que lo necesitan. Por lo tanto pongan toda su atención en el Reino de Dios y en hacer lo que Dios exige, y recibirán también todas estas cosas. (Mateo 6:31-33; vea Mateo 10:29-31) **(305).**

Uno de los dones maravillosos que el Señor les ha dado a los seres humanos es la habilidad de cooperar libremente con sus designios. Dios nos creó para que fuéramos **inteligentes y libres para completar la obra de la Creación… (307).** Dios nos ama libremente y nos pide que nos demos cuenta de que no podemos hacer nada sin Él. Nosotros no somos Dios, pero nos asemejamos a Él en el sentido de que vivimos en relación con él y de esa forma cumplimos su designio providencial para toda la creación.

Muchos de nosotros nos preguntamos: Si Dios es tan bueno y amoroso, ¿cómo puede permitir que exista el mal? ¿Por qué hay tanto sufrimiento en el mundo? Un Dios de amor, ¿permitiría la guerra, la violencia, la enfermedad y la muerte, el odio y la destrucción? No existen respuestas fáciles. De muchas formas la existencia del mal y del sufrimiento es algo misterioso. Sólo **el conjunto de la fe cristiana constituye la respuesta a esta pregunta: la bondad de la creación, el drama del pecado, el amor paciente de Dios que sale** a nuestro encuentro con sus alianzas, enviándonos a Jesús, dándonos el poder del Espíritu Santo, congregándonos como su Iglesia, dándonos los sacramentos, y una vida bienaventurada **(309).**

Tal vez la cruz es lo que más nos ayuda a comprender el misterio del sufrimiento. Jesús, el Hijo único del Padre, sufrió y murió para redimirnos **(571).** Jesús le dio significado al sufrimiento y a la muerte y nos enseñó que mediante él recibiríamos nueva vida. Muchas veces las personas que han sufrido mucho contemplan la cruz y reciben mayor consuelo y comprensión. Muchas veces, al sufrir las personas llegan a conocer mejor a Dios de una manera más profunda y a confiar más en él. Muchas veces al sufrir, las personas llegan a reconocer su total dependencia en Dios y se enamoran más profundamente de él. Los que sufren pueden ayudar a otras personas en su sufrimiento. *No hay un rasgo del mensaje cristiano que no sea en parte una respuesta a la cuestión del mal* **(309).**

Dios nos creó por amor y debido a ese gran amor nos dio el don de la libertad. Aún así, Dios permite el mal porque respeta la libertad de la creación. El amor exige la libertad. Nadie puede amar sin darle al ser amado la libertad. Debido a que se nos ha dado libre albedrío, nosotros como seres humanos, podemos ser causa del mal. Podemos perder el camino. Podemos hacer cosas malas. No obstante, en medio del mal, Dios tiene tanto poder que puede sacar bien del mal. Del terrible mal de la persecución, el sufrimiento y la muerte.

Dios obtuvo **el mayor de los bienes: la glorificación de Cristo y nuestra Redención (312).** Eso no quiere decir que el mal es bueno sino que "Dios dispone de todas las cosas para el bien de quienes le aman" (Romanos 8:28) **(313). Creemos… que Dios es el Señor del mundo y de la historia. Pero los caminos de su providencia nos son con frecuencia desconocidos.** Sólo cuando veamos a Dios cara a cara (1 Corintios 13:12) seremos capaces de comprender los caminos de Dios **(314).**

Dios creó el universo en magnífico orden. A cada criatura se le dio *su bondad y su perfección propias….* **Por esto, el hombre debe respetar la bondad propia de cada criatura para evitar un uso desordenado de las cosas, que desprecie al Creador y acarree consecuencias nefastas para los hombres y para su ambiente (339).** Todos somos interdependientes, es decir, todos dependemos los unos de los otros. **El orden y la armonía del mundo creado derivan de la diversidad de los seres y de las relaciones que entre ellos existen (341).**

Como seres humanos, hemos sido creados con una magnífica naturaleza. Leemos en el Génesis: "Cuando Dios creó al hombre, lo creó parecido a Dios mismo; hombre y mujer los creó" (vea Génesis 1:27). Dios creó al hombre y a la mujer para ser **una comunión de personas, en la que cada uno puede ser "ayuda" para el otro porque son a la vez iguales en cuanto personas (372).** Se nos dio a ambos un cuerpo y un alma. Nuestra alma es lo más íntimo de nuestro ser, *el principio espiritual* en nosotros **(363).** [Nuestra] **alma… es directamente creada por Dios** (vea Pío XII, enc. *Humani generis*, año 1950: DS, 3896; Pablo VI, Credo del Pueblo de

Dios, 8) y por eso no perece cuando se separa del cuerpo al morir sino **que se unirá de nuevo al cuerpo en la resurrección final (366).**

Compartamos nuestra fe

- ¿Qué experiencia he tenido en la que Dios sacó un bien de una situación penosa o maligna?

- ¿Cómo he podido ayudar a otros debido a una experiencia dolorosa que he tenido? ¿Cómo invité a Dios a ser parte de esa experiencia y de cualquier curación que le siguió?

- ¿En qué experiencia personal se me hizo difícil amar a alguien y permitirle su libertad? ¿De qué forma me dio fuerzas la gracia de Dios?

- ¿Qué considero como una actitud y forma de respeto al relacionarme con otras personas? ¿Qué puedo hacer para dirigirme a los problemas del sexismo y el racismo? ¿Cómo le puedo ayudar al mundo a ver la dignidad de todas las personas como hijos e hijas del mismo Padre amoroso?

Vivamos la Buena Nueva

Decide hacer algo específico esta semana como resultado de lo que acaban de compartir. Esto es de suma importancia.

Cuando hayas escogido lo que vas a hacer, compártelo con el grupo. Si el grupo completo decide hacer algo, decidan quién hará qué y para cuándo.

A continuación les damos sugerencias adicionales:

- Observa la belleza de la Creación. Camina por una arboleda. Admira la belleza, reflexionando y dándole gracias a Dios mientras caminas.

- Visita a alguien que se encuentra en un asilo de ancianos.

- Invita a una persona que busca consuelo o curación a caminar contigo.

- Como señal de tu respeto hacia la Creación, siembra flores o árboles por tu vecindario o invita a algunas personas a limpiar una sección de un parque.

Levantemos el corazón

A Ti, oh Dios, te alabamos, a Ti Señor, te reconocemos,
a Ti, eterno Padre, te venera toda la Creación.

Los ángeles todos, los cielos y todas las potestades te honran.
Los querubines y serafines te cantan sin cesar:

Santo, Santo, Santo es el Señor, Dios del universo,
los cielos y la tierra están llenos de la majestad de tu gloria.

Te rogamos, pues, que vengas en ayuda de tus siervos,
a quienes redimiste con tu preciosa sangre.

Haz que en tu gloria eterna nos asociemos a tus santos.
Salva a tu pueblo y bendice tu heredad.

Sé su Pastor y ensálzalo eternamente.
Día tras día te bendecimos y alabamos tu nombre para siempre,
por eternidad de eternidades.

Ten piedad de nosotros, Señor ten piedad de nosotros.
Que tu misericordia, Señor venga sobre nosotros,
como lo esperamos de Ti.

En Ti Señor, confié, no me vea defraudado para siempre.
Amén.

> Versos tomados del *Te Deum*, oración que es
> parte del Oficio Divino y data de principio
> del Siglo V, atribuido a Nicetas de
> Remesiana y a San Ambrosio de Milán.

Si es posible, salgan afuera como grupo y ofrezcan oraciones de acción de gracias por nuestro bello universo.

Para la próxima semana...

- Prepárate bien leyendo con devoción la **Sexta Sesión: La Encarnación** y los párrafos del 422 al 511 del *Catecismo de la Iglesia Católica*.

La Encarnación

Ambiente

Una mesita con la Biblia, un cirio y si es posible, el *Catecismo de la Iglesia Católica. Se comienza en un ambiente de oración, silencio y quietud.*

Levantemos el corazón

Canto

(Aunque no sea temporada navideña, debido al tema, se canta un canto de Navidad.)

Canto de Navidad de alabanza a Dios tal como "Ángeles Cantando Están/Angels We Have Heard on High", Tradicional, No. 333 en *Flor y Canto*, Oregon Catholic Press Publications (OCP)

Oremos juntos y despacio el "Gloria" de la Misa.

Gloria a Dios en el cielo,
      y en la tierra paz a los hombres
      que ama el Señor.

Por tu inmensa gloria
      te alabamos, te bendecimos,
      te adoramos, te glorificamos,
      te damos gracias,
      Señor Dios, Rey celestial,
      Dios Padre Todopoderoso.
      Señor, Hijo único, Jesucristo.

Señor Dios, Cordero de Dios,
      Hijo del Padre;

Tú que quitas el pecado del mundo,
ten piedad de nosotros;
Tú que quitas el pecado del mundo,
atiende nuestra súplica;
Tú que estás sentado a la derecha del Padre,
ten piedad de nosotros;
porque sólo Tú eres Santo,
sólo Tú Señor,
sólo Tú Altísimo, Jesucristo,
con el Espíritu Santo
en la gloria de Dios Padre. Amén.

Compartamos nuestra Buena Nueva

Compartan cómo les fue al vivir la Buena Nueva la semana pasada.

Examinemos el *Catecismo*

Jesús quiere decir en hebreo: "Dios salva". El Ángel Gabriel anunció esa buena nueva antes de que Jesús naciera. Dios estaba enviando a Jesús para salvarnos de nuestros pecados **(430).** Jesús fue enviado para que nosotros conociéramos el amor de Dios. "Pues Dios amó tanto al mundo, que dio a su Hijo único, para que todo aquel que cree en él no muera, sino que tenga vida eterna" (Juan 3:16). Jesús fue enviado para ser nuestro modelo de santidad así como *para hacernos "partícipes de la naturaleza divina"* **(2 Pedro 1:4) (460).** Nosotros también, somos hijos e hijas de Dios.

Escuchen el principio del Prólogo del Evangelio de San Juan, un himno que nos presenta el origen y el propósito de la Palabra de Dios, Jesús, y su misión.

Reflexionemos sobre la Sagrada Escritura   Juan 1:1-5, 14

Observa este dibujo por un momento y coméntalo.

Y la palabra se hizo carne...
y habitó entre nosotros.

Pregunta para compartir

- Jesús es la Palabra de Dios que se hizo carne. ¿Qué siento por un Dios que nos ama tanto como para enviarnos un salvador que era humano y divino?

Continuemos examinando el *Catecismo*

La fe en la verdadera encarnación del Hijo de Dios es el signo distintivo de la fe cristiana (463). La Encarnación no quiere decir que Jesús es parte Dios y parte hombre, ni que sea una mezcla de lo divino y lo humano. Más bien, la Encarnación es el misterio de que en Jesús, Dios se hizo verdaderamente humano sin dejar de ser verdaderamente Dios. Jesucristo es verdadero Dios y verdadero hombre **(464).**

Ocasionalmente, este misterio ha sido cuestionado. Las primeras herejías negaron o la humanidad o la divinidad de Cristo. Una herejía consideraba a Jesús como un ser humano junto a la persona divina del Hijo de Dios. Otra herejía afirmaba **que la naturaleza humana había dejado de existir como tal en Cristo al ser asumida por su persona divina de Hijo de Dios (467).** No obstante, la Iglesia lo explica con claridad: Jesús es al mismo tiempo verdaderamente divino y verdaderamente humano **(469).**

El Nombre Divino "Yo soy" o "Él es" expresa la fidelidad de Dios. Jesús, dando su vida para librarnos del pecado, revelará que Él mismo lleva el Nombre divino: "Cuando hayáis levantado al Hijo del hombre, entonces sabréis que Yo soy" (Juan 8:28) (211). Durante todo el Evangelio de San Juan, encontramos muchas veces en las que Jesús usa la declaración "Yo Soy" revelando su íntima unión con el Padre. Con mucha frecuencia, en los evangelios, hay personas que se dirigen a Jesús llamándole "Señor". Este título expresa el respeto y la confianza de los que se acercan a Jesús y esperan de Él socorro y curación (vea Mateo 8:2; 14:30; 15:22; etc.). Bajo la moción del Espíritu Santo, expresa el reconocimiento del misterio divino de Jesús (vea Lucas 1:43; 2:11) (448).

A lo largo de toda su vida pública sus actos de dominio sobre la naturaleza, sobre las enfermedades, sobre los demonios, sobre la muerte y el pecado, demostraban su soberanía divina (447). Debido a su inquietud amorosa, el Padre envió a Jesús a ser nuestro Salvador y a redimirnos.

En su humanidad, Jesús tiene un cuerpo y un alma humanos como nosotros. El Concilio Vaticano II lo explica de la siguiente forma: El Hijo de Dios... trabajó con manos humanas; pensó con una mente humana; actuó con voluntad humana, y amó con un corazón humano. Nacido de María la Virgen, se hizo verdaderamente uno de nosotros, igual en todas las cosas menos en el pecado (vea *Gaudium et spes*, 22 § 2) (470). En su humanidad, Jesús tenía conocimiento humano, que empleó en las condiciones históricas de su existencia. Tenía un alma humana, por lo que decimos que creció en sabiduría. Tuvo que aprender como todos nosotros lo hacemos, partiendo de las experiencias ordinarias de su vida. Jesús comió, durmió, lloró y finalmente se humilló hasta el punto de aceptar la muerte (472).

"La naturaleza humana del Hijo de Dios, *no por ella misma sino por su unión con el Verbo*, conocía y manifestaba en ella todo lo que conviene a Dios" (San Máximo el Confesor, *Quaestiones et dubia*, 66: PG 90, 840 A) (473). Como Persona Divina, Jesús tenía un conocimiento único, íntimo e inmediato de Dios. Jesús, en su conocimiento humano, mostraba también la penetración divina que tenía de los pensamientos secretos del corazón de los hombres (vea Marcos 2:8; Juan 2:25; 6:61) (473). Jesús, durante su vida... nos ha conocido y amado a todos y a cada uno de nosotros [Jesús] nos ha amado a todos con un corazón humano (478).

El Padre escogió una manera única y amorosa para que Jesús viniera a este mundo. El Ángel Gabriel anunció a María, una mujer llena de gracia, que ella iba a ser la Madre de Dios mediante el poder del Espíritu Santo. **Contra toda expectativa humana, Dios escoge lo que era tenido por impotente y débil** (vea 1 Corintios 1:27) **para mostrar la fidelidad a su promesa (489).**

El Señor escogió a María quien en verdad estaba llena de gracia, y respondió con fe sabiendo que "para Dios no hay nada imposible" (Lucas 1:37) **(494).**

Al reflexionar nosotros sobre la Encarnación, de nuevo reflexionamos sobre un misterio –el misterio de la magnífica unión de las naturalezas divina y humana en la persona de la Palabra. Debido a esta bella unión, podemos verdaderamente decir que Dios ha compartido su vida con nosotros y nosotros, como seres humanos, hemos compartido la nuestra con Dios.

Compartamos nuestra fe

- Si bien la Encarnación es un misterio, nosotros creemos que hay armonía entre la divinidad y la humanidad de Jesús. ¿Cómo me relaciono con Jesús quien es humano y divino al mismo tiempo?

- ¿Cómo es Jesús un modelo de santidad para nosotros? ¿Qué cualidad de la vida de Jesús deseo imitar?

- Se dice que la faz de Dios se puede ver por medio del carácter de Jesús. ¿Cómo describiría yo la faz de Dios en lo que se refiere a mis experiencias con Jesús? ¿Cuál pasaje favorito de las Escrituras define el carácter de Jesús y la faz de Dios para mí?

- María le dio un "Sí" completo a Dios. ¿Cómo puedo yo seguir su ejemplo?

Vivamos la Buena Nueva

Decide hacer algo específico esta semana como resultado de lo que acaban de compartir. Esto es de suma importancia.

Cuando hayas escogido lo que vas a hacer, compártelo con el grupo. Si el grupo completo decide hacer algo, decidan quién hará qué y para cuándo.

A continuación les damos sugerencias adicionales:

- Reza el rosario, reflexionando en los Misterios Gozosos.

- Haz una visita al Santísimo Sacramento.

- Identifica a una persona en tu vida que "tiene el corazón de Jesús". Visita o escríbele a esa persona, y comparte tu amor hacia Jesús con ella.

- Invita a alguien a rezar un Ave María contigo cada día a las doce del mediodía.

Levantemos el corazón

Oremos juntos y despacio

> Ven, ven, Emmanuel, te imploramos,
> Te necesitamos en estos momentos, en este día.
> Deja caer rocío del cielo, para que Dios camine y
> hable entre nosotros,
>   y traiga el rocío a nuestra tierra reseca.
> Tú has venido en tu Encarnación, a ser uno de nosotros.
> El mundo había esperado mucho tiempo por tu llegada,
>   por la promesa que se había profetizado:
> Gran consejero, omnipotente Dios, Padre Eterno,
>   Príncipe de la Paz.
> Para que el manso cordero viva junto al león.
> Continuamos implorando ven, ven, Emmanuel.
> Esperamos tu venida con paz y esperanza.
> Al igual que Tú te volviste uno de nosotros,
> ayúdanos a darnos cuenta que
> la paz solamente vendrá cuando Tú brotes de nuestra vida.

Se cierra la sesión cantando la canción "Ángeles Cantando Están/Angels We Have Heard on High"

Para la próxima semana...

- Prepárate bien leyendo con devoción la **Séptima Sesión: La vida pública de Jesús** y los párrafos del 512 al 570 del *Catecismo de la Iglesia Católica*.

La vida pública de Jesús

Ambiente

Una mesita con la Biblia, un cirio y si es posible, el *Catecismo de la Iglesia Católica. Se comienza en un ambiente de oración, silencio y quietud.*

Levantemos el corazón

Canto

"Amar", Tradicional, No. 658 en *Flor y Canto,* Oregon Catholic Press Publications (OCP) u otro canto sobre el verdadero significado de amar

Oremos juntos y despacio

> Creemos, oh Jesús,
> que tú eres el Hijo de Dios.
> Creemos que tú nos has redimido.
> Creemos que fuiste igual a nosotros
> menos en el pecado.
> Sabemos que te acercaste a los pecadores,
> los enajenados, los temerosos, los oprimidos,
> los enfermos y los moribundos,
> los indefensos,
> a todos los que te necesitaban.
>
> Nosotros, también, Jesús, somos hijos de Dios.
> Te pedimos que nos enseñes
> a vivir en relaciones justas.
> Te pedimos que tu amor y tu gracia nos den fuerza.
> ¡Oh si tuviésemos el valor de imitarte en todas las cosas!

Envíanos tu Espíritu,
y ayúdanos a responder
tomando conciencia de lo que la verdadera justicia significa.
Esto te lo pedimos, junto al Padre y al Espíritu Santo,
un solo Dios, por los siglos de los siglos. Amén.

Compartamos nuestra Buena Nueva

Compartan cómo les fue al vivir la Buena Nueva la semana pasada.

Examinemos el *Catecismo*

¿Quién es esa persona a la que llamamos Jesús? Sabemos que fue humano y divino. Aún así, ¿cómo fue el Jesús que vivió y caminó por esta tierra? **Casi nada se dice sobre su vida en Nazaret, e incluso una gran parte de la vida pública no se narra** (vea Juan 20:30) **(514)**. No obstante, sabemos mucho sobre Jesús y todo lo que se ha escrito en los Evangelios es para que creamos y tengamos vida en nombre de Jesús **(514)**. Todos los misterios de la vida de Jesús reflejan "el amor de Dios entre nosotros" (1 Juan 4:10) **(516)**.

Jesús fue enviado por el Padre para enseñarnos cómo vivir y amar y al hacerlo, fue clavado en una cruz. No vino de una manera dominante y excelsa como un gran gobernante o rey, sino como un siervo humilde que soportó la cruz. Jesús vino a ser nuestro modelo y nos **ha dado un ejemplo que imitar** (vea Juan 13:15) **con su oración… y su pobreza (520)**.

El comienzo (vea *Lucas* 3:23) **de la vida pública de Jesús es su bautismo por Juan… (535)**. Inmediatamente después que Jesús fue bautizado, él entró al desierto y fue tentado tres veces por Satanás. Estas fueron tentaciones básicas humanas, la tentación del poder, de las posesiones, y del prestigio **(538-540)**. Después de sus cuarenta días en el desierto, Jesús regresó con el poder del Espíritu Santo y proclamó su misión. Escuchen el siguiente pasaje del Evangelio de San Lucas.

Reflexionemos sobre la Sagrada Escritura   Lucas 4:14-21

Observa este dibujo por un momento y coméntalo.

Pregunta para compartir

- ¿De qué forma es Jesús un modelo para mí?

Continuemos examinando el *Catecismo*

Jesús es Señor y Salvador. **Atribuyendo a Jesús el título divino de Señor, las primeras confesiones de fe de la Iglesia afirman desde el principio** (vea Hechos 2: 34-36) **que el poder, el honor y la gloria debidos a Dios Padre convienen también a Jesús** (vea Romanos 9:5; Tito 2:13; Apocalipsis 5:13) **porque Él es de "condición divina"** (Filipenses 2:6) **y el Padre manifestó esta soberanía de Jesús resucitándolo de entre los muertos y exaltándolo a su gloria** (vea Romanos 10:9; 1 Corintios 12:3; Filipenses 2:9-11) **(449).** La misión redentora de Jesús se mostraba en su amor humano y en su compasión por todos.

Su forma de ser, su carácter y sus enseñanzas eran tal que la gente lo seguía constantemente y se asombraba no sólo por lo que hacía, sino por lo que decía y por la manera en que vivía. A pesar de que Jesús mostraba amor y perdón hacia los necesitados, los enfermos, y los arrepentidos, desafiaba a los altaneros y a los que se creían muy justos y buenos. Con frecuencia en la Escritura, leemos que Jesús se iba a un lugar apartado a orar. La bondad de Jesús brotaba de su relación con su amoroso Padre. Jesús nos enseñó a depender de Dios y a poner nuestra confianza en el Padre como él lo hizo.

Un tema clave en la vida y las enseñanzas de Jesús es el concepto del Reino de Dios. El entrar al Reino de Dios es entrar en una relación nueva, es reconocer cada vez más que somos personas amadas por Dios y llamadas a responder a ese amor. Jesús proclamó que todos estamos llamados a entrar al Reino de Dios **(543)**, que todos estamos llamados a esta relación de amor, no solamente en el futuro sino ahora mismo: **"El Reino de Dios está cerca"** (Marcos 1:15) **(541). Para entrar en él, es necesario acoger la palabra de Jesús:** "La palabra de Dios se compara a una semilla sembrada en el campo: los que escuchan con fe y se unen al pequeño rebaño de Cristo han acogido el Reino; después la semilla, por sí misma, germina y crece hasta el tiempo de la siega" *(Lumen gentium, 5)* **(543)**.

Con frecuencia las palabras de Jesús eran sobre amar y perdonar. Cuando Jesús curó al paralítico, su relación íntima con Dios fue vista claramente por las personas de mente y corazón abiertos. Pero algunos aún rehusaron creer. Jesús se dirigió a los escribas diciéndole: "¿Qué es más fácil decir al paralítico: 'Tus pecados te son perdonados' o decirle: 'Levántate, toma tu camilla y anda?'" (Marcos 2:10).

Jesús nos dijo que el **Reino pertenece** *a los pobres y a los pequeños*, **es decir a los que lo acogen con un corazón humilde.... Jesús, desde el pesebre hasta la cruz comparte la vida de los pobres; conoce el hambre,** (vea Marcos 2:23-26; Mateo 21:18) **la sed** (vea *Juan* 4:6-7; 19: 28) **y la privación** (vea Lucas 9:58). **Aún más: se identifica con los pobres de todas clases y hace del amor activo hacia ellos la condición para entrar en su Reino** (vea Mateo 25:31-46) **(544). Jesús invita a** *los pecadores* **al banquete del Reino.... Les invita a la conversión, sin la cual no se puede entrar en el Reino.** Le recuerda a todo el que conoce, que el amor y la misericordia de Dios no tienen límites **(545)**.

Muchas veces Jesús habla en parábolas. Las parábolas son historias o metáforas que comunican un punto en particular. Jesús usó metáforas que provenían de las experiencias del diario vivir de la gente. El Reino de Dios es como una semilla de mostaza. El Reino de Dios es como una perla de gran valor. **Jesús llama a entrar en el Reino a través de las parábolas, rasgo típico de su enseñanza** (vea Marcos 4:33-34). **Por medio de ellas invita al banquete del Reino,** (vea Mateo 22:1-14) **pero exige también una elección radical para alcanzar el Reino, es necesario darlo todo;** (vea Mateo 13:44-45) **las palabras no bastan, hacen falta obras** (vea Mateo 21:28-32). **Las parábolas son como un espejo: ¿[Acogeremos la palabra] como un suelo duro o como una buena** tierra? (vea Mateo 13:3-9). **Jesús y la presencia del Reino en este mundo están secretamente en el corazón de las parábolas. Es preciso entrar en el Reino, es decir, hacerse discípulo de Cristo para "conocer los Misterios del Reino de los cielos" (Mateo 13:11) (546).** Las parábolas de Jesús desafiaron no solamente a las personas de su tiempo, sino que ellas nos desafían e instruyen a nosotros hoy día.

Jesús acompaña sus palabras con numerosos "milagros, prodigios y signos" (Hechos 2:22) (547). Los milagros que él hizo **invitan a creer en Jesús.** La gente llegó a creer que Jesús hacía las obras de Dios. La gente queda fascinada por sus milagros, pero él los hizo no para **satisfacer [su] curiosidad ni los deseos mágicos** sino debido a la compasión que sentía por los enfermos y para convencerlos de su divinidad. Sus milagros dieron poderoso testimonio del hecho de que Jesús es el Hijo de Dios **(548).**

"La vida entera de Cristo fue una continua enseñanza: su silencio, sus milagros, sus gestos, su oración, su amor al hombre, su predilección por los pequeños y los pobres, la aceptación total del sacrificio en la cruz por la salvación del mundo, y su resurrección" (Juan Pablo II) **(561).** De Jesús aprendemos a amar y perdonar, a buscar la satisfacción de nuestras necesidades en Dios, a convertirnos en personas humildes y abiertas. Aprendemos que podemos confiar en Dios y que podemos poner toda nuestra vida completamente en sus manos. Por Jesús, llegamos a conocer a Dios porque Jesús es la completa y total revelación de Dios. Si nos fijamos en la vida de Jesús, encontramos a una persona que es un modelo de amor, nuestro Salvador y Redentor.

Compartamos nuestra fe

- ¿Qué me motiva a poner mi fe en Jesús?

- ¿Cómo responderías a la pregunta que Jesús le hizo a sus discípulos, "¿Quién dices tú que soy yo?" ¿Quién es Jesús para mí? ¿Por qué creo yo en él?

- ¿Qué historia favorita del Evangelio me ayuda a comprender quién es Jesús?

- La realidad de Jesús como nuestro Salvador, ¿cómo afecta mi vida y nuestra sociedad?

Vivamos la Buena Nueva

Decide hacer algo específico esta semana como resultado de lo que acaban de compartir. Esto es de suma importancia.

Cuando hayas escogido lo que vas a hacer, compártelo con el grupo. Si el grupo completo decide hacer algo, decidan quién hará qué y para cuándo.

A continuación les damos sugerencias adicionales:

- Escríbele una carta a Jesús contándole cuánto lo amas.

- Haz un compromiso de leer y orar con la Sagrada Escritura cada día.

- Conoce a una persona pobre y necesitada y busca la manera de ayudarla.

- Expresa tu gratitud por haber sido llamado(a) a la fe por la Iglesia, la comunidad que continúa su misión de hacer presente a Jesús entre nosotros.

Levantemos el corazón

Si es posible, se reparte una vela pequeña a cada miembro del grupo. Se enciende una vela y se invita a las personas a compartir la luz con los demás.

Imágenes de Luz (leído por tres personas)

"Yo soy la luz del mundo.
El que me sigue no caminará en tinieblas, sino que tendrá
luz y vida" (Juan 8:12).

"Mientras sea de día, tengo que hacer el trabajo que
el Padre me ha encomendado. Ya se acerca la noche,
cuando no se puede trabajar.
Pero mientras yo esté en el mundo,
Yo soy la luz del mundo" (Juan 9:4-5).

"Ustedes son luz para el mundo. No se puede esconder
una ciudad edificada sobre un cerro.
No se enciende una lámpara para esconderla en un tiesto, sino
para ponerla en un candelero a fin de que alumbre a todos
los de la casa. Así pues, debe brillar su luz ante los hombres, para
que vean sus buenas obras y glorifiquen al Padre de ustedes
que está en los Cielos" (Mateo 5:14-16).

Oración (Se lee despacio de lado a lado.)

Lado 1 Levántate y brilla, que ha llegado tu luz
y la Gloria de Yavé amaneció sobre ti.
La oscuridad cubre la tierra
y los pueblos están de noche,

Lado 2 Pero sobre ti se levanta Yavé,
y sobre ti aparece su Gloria.
Los pueblos se dirigen hacia tu luz
y los reyes, al resplandor de tu aurora.

Lado 1 Ya no tendrás necesidad del sol para que
alumbre tu día, ni de la luna para la noche.
Porque Yavé será tu luz eterna, y tu Dios, tu esplendor.

Lado 2 Tu sol no se pondrá jamás, y tu luna no desaparecerá
más, porque Yavé será tu luz perpetua y
se habrán acabado tus días de luto. (Isaías 60:1-2, 19-20)

Lado 1 Todos ustedes son hijos de la luz e hijos del día:
no somos de la noche ni de las tinieblas.
(1 Tesalonicenses 5:5)

Todos Las tinieblas se van apartando y
ya brilla la luz verdadera. (1 Juan 2:8)
"Porque el mismo Dios que mandó que
la luz brotara de la oscuridad, el que ha hecho brotar
su luz en nuestro corazón, para que por medio de ella
podamos conocer la gloria de Dios, como brilla en
el [rostro] de Jesucristo". (2 Corintios 4:6)

Para la próxima semana...

- Prepárate bien leyendo con devoción la **Octava Sesión: El Misterio Pascual: la Muerte y Resurrección de Jesús** y los párrafos del 571 al 682 del *Catecismo de la Iglesia Católica*.

Octava Sesión

El Misterio Pascual: la Muerte y Resurrección de Jesús

Ambiente

Una mesita con la Biblia, un cirio y si es posible, el *Catecismo de la Iglesia Católica. Se comienza en un ambiente de oración, silencio y quietud.*

Levantemos el corazón

Canto

"Himno Pascual", por Alejandro Mejía, No. 369 en *Flor y Canto*, Oregon Catholic Press Publications (OCP) u otro canto sobre el misterio pascual

Oremos juntos y despacio

> ¡Crucifícalo! ¡Crucifícalo!, gritaba aquella gente
> de maldad sin nombre,
> a Pilato que a tal súplica decía:
> "No veo delito alguno en este hombre".
> Pero al final, lavándose las manos, entrególo a la
> turba despiadada,
> con una túnica de grana y su cabeza de
> punzantes espinas coronada.

> Camino del Calvario, el Divino Maestro,
> en sus hombros el peso de la cruz,
> recibiendo bofetadas y flagelos:
> ¿Cómo pudiste soportarlo, mi Jesús?
> Jesús de Nazaret, Jesús crucificado,
> en la cima del Gólgota moría
> enseñándonos a perdonar y a amar:
> "Amaos los unos a los otros", Él decía.

Allí estaba su madre dolorosa,
   mirando a su hijo en la agonía:
¿Habrá un dolor semejante, al dolor como el
   que sintiera la Virgen María?
Ya turbia la mirada posó en Ella:
   – "Mujer, ahí tienes a tu hijo",
y a Juan, su discípulo más amado:
   – "Hijo, ahí tienes a tu madre", dijo.

"Tengo sed", moribundo ya decía, y en una rama
   de hisopo colocaron,
empapada una esponja en vino agrio,
   que a sus trémulos labios empujaron
murió Jesús, murió crucificado,
   derramando su sangre redentora,
quiso lavar con ella nuestras manchas y
   regalarnos a su madre protectora.
Es María, la Virgen, Madre nuestra,
   nos la regaló su hijo Jesús
Al morir por nuestras culpas,
   clavado en los brazos de la cruz.

Blanca Mercedes Checo de Peña

Compartamos nuestra Buena Nueva

Compartan cómo les fue al vivir la Buena Nueva la semana pasada.

Examinemos el *Catecismo*

El Misterio pascual… está en el centro de la Buena Nueva que los apóstoles, y la Iglesia a continuación de ellos, deben anunciar al mundo (571). Hay un doble aspecto en el misterio pascual: por su muerte nos libera del pecado, por su Resurrección nos abre el acceso a una nueva vida (654).

Sabemos que desde el comienzo de la vida de Jesús, y especialmente durante su ministerio público, ciertos líderes estaban tratando de destruirlo. Él fue acusado de blasfemo, de ser un falso profeta así como de cometer delitos religiosos **(574)**. Jesús fue un "signo de contradicción" (Lucas 2:34) para algunas de las autoridades religiosas en Jerusalén **(575)**. **Jesús parece actuar contra las instituciones esenciales:** la Ley en sus preceptos escritos; el carácter central del Templo de Jerusalén; su fe en un Dios único **(576)**. Jesús enfrentó a los fariseos y maestros que eran responsables de interpretar la Ley y mantener el Templo. Les señaló que algunos de ellos habían tergiversado los dones de Dios para beneficio propio y juzgado a otros de una manera hipócrita.

Jesús cumplió la Ley a perfección, pero con frecuencia ofendió **a los doctores de la Ley porque no se contentaba con proponer su interpretación entre los suyos, sino que "enseñaba como quien tiene autoridad y no como los escribas"** (Mateo 7:28-29) **(581)**. Jesús no destruyó la Ley; él la cumplió **(577)**. Jesús no ignoró el Templo; él respetaba profundamente el Templo **(583)**. **Jesús escandalizó a los fariseos comiendo con los publicanos y los pecadores...** (vea Lucas 5:30; 7:36; 11:37; 14:1). Ellos se enfadaron cuando les mostró misericordia a los pecadores. Lo vieron como blasfemo cuando se hacía igual a Dios o decía la verdad. De hecho, **para la redención de los pecados,**... [Jesús] **acepta ser verdadera piedra de escándalo** (vea Lucas 2:34; 20:17-18; Salmos 118:22) para las autoridades religiosas **(588-589)**. Muchos de las autoridades del Templo en aquel entonces sentían tanto miedo que sólo pensaban en cómo deshacerse de esta persona que los llamaba a ser algo más que lo que ellos eran.

Reflexionemos sobre la Sagrada Escritura   Marcos 8:27-38

Observa este dibujo por un momento y coméntalo.

Pregunta para compartir

- ¿Cómo he experimentado yo el Misterio Pascual de la muerte y resurrección en mi propia vida?

Continuemos examinando el *Catecismo*

El Misterio pascual de la Cruz y de la Resurrección de Cristo está en el centro de la Buena Nueva que los apóstoles, y la Iglesia a continuación de ellos, deben anunciar al mundo. El designio salvador de Dios se ha cumplido de "una vez por todas" (vea Hebreos 9:26) por la muerte redentora de su Hijo Jesucristo (571).

Jesús compartió nuestra naturaleza humana, como es evidente en su oración en Getsemaní, cuando oró diciendo: "Padre mío, si es posible, líbrame de este trago amargo; pero que no se haga lo que yo quiero, sino lo que quieres tú" (Mateo 26:39). Si bien Jesús sentía temor, estaba dispuesto a hacer la voluntad de Dios. Muchas veces nosotros sentimos los mismos temores, pero si seguimos a Jesús, podremos decir, "Hágase tu voluntad".

En su divinidad, Jesús fue enviado a cumplir su misión, la redención de la familia humana. Así como la sangre del cordero al marcar el frente de la puerta había salvado al pueblo de Israel del ángel de la muerte, quien destruía al primogénito de las familias egipcias, de igual forma la sangre de Jesús derramada por nosotros nos salva de la muerte eterna. Jesús es el **"cordero que quita el pecado del mundo" (Juan 1: 29)** (vea 1 Pedro 1:19) **y el sacrificio de la Nueva Alianza** (vea 1 Corintios 11:25) **que devuelve al hombre a la comunión con Dios** (vea Éxodo 24:8) **reconciliándole con Él por "la sangre derramada por muchos para remisión de los pecados" (Mateo 26:28)** (vea Levítico 16:15-16) **(613).**

La vida, sufrimiento, muerte, y Resurrección de Cristo están en el centro de la larga historia de salvación de Dios. **Desde el primer instante de su Encarnación el Hijo acepta el designio divino de salvación en su misión redentora: "Mi alimento es hacer la voluntad del que me ha enviado y llevar a cabo su obra" (Juan 4:34). El sacrificio de Jesús "por los pecados del mundo entero" (1 Juan 2:2), es la expresión de su comunión de amor con el Padre: "El Padre me ama porque doy mi vida" (Juan 10:17). "El mundo ha de saber que amo al Padre y que obro según el Padre me ha ordenado" (Juan 14:31) (606).**

Este sacrificio de Cristo es único, da plenitud y sobrepasa a todos los sacrificios (vea Hebreos 10:10). Ante todo es un don del mismo

Dios Padre: es el Padre quien entrega al Hijo para reconciliarnos consigo (vea 1 Juan 4:10). **Al mismo tiempo es ofrenda del Hijo de Dios hecho hombre que, libremente y por amor,** (vea Juan 15:13) **ofrece su vida** (vea Juan 10:17-18) **a su Padre por medio del Espíritu Santo,** (vea Hebreos 9:14) **para reparar nuestra desobediencia (614).**

El Padre nos dio a su único Hijo, y Jesús *ofreció* su vida para mostrarnos su amor, un amor benevolente que no tiene ningún fundamento en nuestro propio mérito **(604).** Nuestra Iglesia nos enseña que Cristo murió por todos, sin excepción alguna: **"No hay, ni hubo ni habrá hombre alguno por quien no haya padecido Cristo"** (Concilio de Quiercy, año 853: DS, 624) **(605).** Si bien sabemos que Jesús luchó por responder a la voluntad de Dios en su sufrimiento y muerte, él estaba dispuesto a adoptar el amoroso designio de Dios **(571);** de hecho, Jesús sabía que esta era **la razón de ser de su Encarnación. (607)** Por amor, Jesús aceptó libremente su pasión y muerte: "Nadie me quita la vida, sino que yo la doy por mi propia voluntad" (Juan 10:18) **(609).**

Participamos en el Misterio Pascual. **La Cruz es el único sacrificio de Cristo,** no obstante, participamos en ella ya que Jesús se unió a todos nosotros. También nosotros estamos llamados a tomar nuestra cruz y seguir a Jesús. Santa Rosa de Lima lo dijo muy claramente: "Fuera de la Cruz no hay otra escala por donde subir al cielo" **(618).** ¡Qué símbolo tan poderoso es la cruz para nosotros cuando enfrentamos nuestro propio sufrimiento! Si bien a veces el misterio de la cruz es difícil de entender, no hay consuelo más grande para los que sufren que saber que Jesús también pasó por terrible sufrimiento y muerte.

Mediante el Misterio Pascual aprendemos el balance que existe entre la muerte y la nueva vida. Jesús asciende por encima del pecado y la muerte, y nos invita y habilita a hacer lo mismo. Todos nosotros experimentamos muchas muertes pequeñas, y cada uno de nosotros experimentará la muerte física. Estamos llamados a unirnos a Jesús y aceptar el sufrimiento, el dolor y finalmente la muerte para poder alcanzar la nueva vida.

La aceptación redentora de su crucifixión, muerte, y Resurrección nos da la fuerza para morir y resucitar con él. El sufrimiento con fe nos puede ayudar a lograr una relación profunda de amor con Jesús.

Como cristianos creemos, y por nuestro bautismo participamos, no sólo en la muerte de Jesús sino también en su Resurrección. **El misterio de la resurrección de Cristo es un acontecimiento real que tuvo**

manifestaciones históricamente comprobadas como lo atestigua el Nuevo Testamento (639).

María Magdalena y las santas mujeres fueron las primeras en ver a Jesús resucitado. Aunque era difícil para Pedro y los discípulos creer, una vez que vieron a Jesús, ellos también se convirtieron en testigos de su Resurrección **(641-642).** Jesús establece relaciones directas con sus discípulos mediante una cena. Él los invita a darse cuenta que no es un espíritu, sino que tiene un cuerpo real con las propiedades nuevas de un cuerpo glorioso **(645).**

Creer en la Resurrección de Jesús requiere fe en **una intervención trascendente de Dios mismo en la creación y en la historia (648)…. La Resurrección de Cristo es** *cumplimiento de las promesas* **del Antiguo Testamento** (vea Lucas 24:26-27. 44-48) **y del mismo Jesús durante su vida terrenal** (vea Mateo 28:6; Marcos 16: 7; Lucas 24:6-7) **(652). La verdad de** *la divinidad de Jesús* **es confirmada por su Resurrección (653). La Resurrección de Cristo… es principio y fuente de** *nuestra resurrección futura* **(655).**

Compartamos nuestra fe

- ¿Qué sufrimientos he tenido en mi vida? ¿En qué forma me trajo nueva vida? ¿Cómo sentí la gracia de Dios en medio de mi dolor?

- ¿Cómo me enfrento a los momentos de oscuridad o de egoísmo en mi vida? ¿Cómo podemos hacer nuestra la victoria de Jesús quien nos redimió de nuestros pecados?

- ¿Qué personas conozco o me han dicho que están sufriendo hoy? ¿Qué puedo hacer para ayudarlas?

- ¿Cómo vivimos la resurrección en nuestro mundo hoy día?

Vivamos la Buena Nueva

Decide hacer algo específico esta semana como resultado de lo que acaban de compartir. Esto es de suma importancia.

Cuando hayas escogido lo que vas a hacer, compártelo con el grupo. Si el grupo completo decide hacer algo, decidan quién hará qué y para cuándo.

A continuación les damos sugerencias adicionales:

- Reza el Vía Crucis.

- Acércate a alguien que está sufriendo y ofrécele tu apoyo y cariño. Es decir, ayúdale a cargar su cruz.

- Visita a alguien que esté en un hospital o asilo de ancianos.

- Celebra con tu grupo o con alguien que ha experimentado nueva vida.

Levantemos el corazón

Oremos juntos y despacio

"No te ruego solamente por éstos, sino también por los que después han de creer en mí al oír el mensaje de ellos.
Te pido que todos ellos estén completamente unidos,
que sean una sola cosa en unión con nosotros, oh Padre,
así como tú estás en mí y yo estoy en ti.
Que estén completamente unidos, para que
el mundo crea que tú me enviaste.
Les he dado la misma gloria que tú me diste,
para que sean una sola cosa,
así como tú y yo somos una sola cosa: yo en ellos
y tú en mí, para que lleguen a ser perfectamente uno,
y que así el mundo pueda darse cuenta
de que tú me enviaste,
y que los amas tanto como me amas a mí". (Juan 17:20-23)

Para la próxima semana...

- Prepárate bien leyendo con devoción la **Novena Sesión: El Espíritu Santo y la Iglesia** y los párrafos del 683 al 810 del *Catecismo de la Iglesia Católica*.

El Espíritu Santo y la Iglesia

Ambiente

Una mesita con la Biblia, un cirio y si es posible, el *Catecismo de la Iglesia Católica. Se comienza en un ambiente de oración, silencio y quietud.*

Levantemos el corazón

Canto

"Espíritu Santo, Ven", por Ricardo Mishler, No. 425 en *Flor y Canto*, Oregon Catholic Press Publications (OCP) u otro en honor al Espíritu Santo

Oremos juntos y despacio

> Ven, Espíritu Santo, llena los corazones de los fieles
> y enciende en ellos el fuego sagrado de tu amor.
>
> Envía Señor tu Espíritu
> y todo será de nuevo creado
> y renovarás la faz de la tierra.
>
> Oh Dios, que has iluminado
> los corazones de tus fieles
> con la luz del Espíritu Santo,
> haz que guiados por este mismo Espíritu
> gustemos de la dulzura del bien
> y gocemos siempre de tu divino consuelo.
>
> Por Cristo nuestro Señor. Amén.

Compartamos nuestra Buena Nueva

Compartan cómo les fue al vivir la Buena Nueva la semana pasada.

Examinemos el *Catecismo*

"Espíritu Santo" es el nombre propio de la tercera persona de la Trinidad, al que adoramos y glorificamos junto a Dios Padre y Dios Hijo. **El término "Espíritu" traduce el término hebreo "Ruah", que en su primera acepción significa soplo, aire, viento** (vea Juan 3:5-8) **(691).** Creemos que nuestro propio respirar es el movimiento del Espíritu Santo. Son tantos y tan bonitos los símbolos que tenemos para el Espíritu: agua, unción, fuego, nube y luz, el sello, la mano, el dedo de Dios y la paloma **(694-701).** Todos estos símbolos revelan a un Dios dinámico y todopoderoso.

Conocemos al Espíritu Santo por medio de Jesús. Durante su Bautismo, el Espíritu se posó sobre Jesús. Mientras caminaba con Nicodemo, Jesús le explicó que nadie puede entrar en el Reino de Dios sin antes haber nacido del agua y del Espíritu. En Juan 16, Jesús promete enviar el Espíritu, y Jesús cumple esa promesa. **El día de Pentecostés (al término de las siete semanas pascuales), la Pascua de Cristo se consuma con la efusión del Espíritu Santo (731).**

Cuando decimos que creemos en el Espíritu Santo, estamos diciendo que creemos que el Espíritu "que habló por los profetas" nos hace receptivos a escuchar la Palabra de Dios. Reconocemos al Espíritu por la forma en que la fe nos lo revela. Conocemos al Espíritu porque el Espíritu que habita en nosotros es el poder de Dios **(687),** y nosotros estamos invitados a participar de ese gran poder. "De igual manera, el Espíritu nos ayuda en nuestra debilidad. Porque no sabemos orar como es debido, pero el Espíritu mismo ruega a Dios por nosotros, con gemidos que no pueden expresarse con palabras" (Romanos 8:26) **(741).** El Espíritu en y por medio de nosotros. Viviríamos mejores vidas si en nuestro corazón guardáramos la verdad de que el Espíritu Santo, el Espíritu de Dios, nos ha dado poder.

Reflexionemos sobre la Sagrada Escritura   1 Corintios 2:6-16

Observa este dibujo por un momento y coméntalo.

Pregunta para compartir

- ¿Cómo permite mi fe que yo sienta el poder del Espíritu Santo en mi propia vida? ¿De qué maneras se puede expresar tal poder?

Continuemos examinando el *Catecismo*

Cristo estaba lleno del Espíritu Santo. **La misión de Cristo y del Espíritu Santo se realiza en la Iglesia, Cuerpo de Cristo y Templo del Espíritu Santo.** El Espíritu nos *prepara* y nos guía por la gracia; el Espíritu nos *manifiesta* al Cristo resucitado; el Espíritu hace presente el misterio de Cristo en la Eucaristía y nos conduce a la *Comunión* con Dios para que "demos mucho fruto" **(737). La misión de la Iglesia no se añade a la de Cristo y del Espíritu Santo, sino que es su sacramento: con todo su ser y en todos sus miembros ha sido enviada para anunciar y dar testimonio, para actualizar y extender el Misterio de la Comunión de la Santísima Trinidad (738).** Como sacramento, la Iglesia es el signo e instrumento de la comunión y unidad de toda la raza humana **(775).**

La palabra "Iglesia" [*ekklèsia*, **del griego** *ek-kalein* –"llamar fuera"] **significa "convocación" (751). En el lenguaje cristiano, la palabra "Iglesia" designa no sólo la asamblea litúrgica,** (vea 1 Corintios 11:18; 14:19. 28. 34. 35) **sino también la comunidad local** (vea

1 Corintios 1:2; 16:1) **o toda la comunidad universal de los creyentes** (vea 1 Corintios 15:9; Gálatas 1:13; Filipenses 3:6). **Estas tres significaciones son inseparables de hecho. La "Iglesia" es el pueblo que Dios reúne en el mundo entero. La Iglesia de Dios existe en las comunidades locales y se realiza como asamblea litúrgica, sobre todo eucarística. La Iglesia vive de la Palabra y del Cuerpo de Cristo y de esta manera viene a ser ella misma Cuerpo de Cristo (752).**

Los siete **Sacramentos** de la Iglesia son **como "fuerzas que brotan" del Cuerpo de Cristo** (vea Lucas 5:17; 6:19; 8:46)... **como acciones del Espíritu Santo que actúa en la Iglesia (1116).**

"Lo que nuestro espíritu, es decir, nuestra alma, es para nuestros miembros, eso mismo es el Espíritu Santo para los miembros de Cristo, para el Cuerpo de Cristo que es la Iglesia" (San Agustín, *Sermones,* 267, 4: PL 38, 1231D) **(797).** El Espíritu habita en la comunidad que llamamos la Iglesia, y la guía. El Espíritu habita en todo el cuerpo y no sólo en los individuos. El Espíritu obra de muchas maneras para edificar el cuerpo completo. El Espíritu provee gracias o carismas para el bien de la Iglesia y las necesidades del mundo. Cada uno de nosotros recibe dones del Espíritu Santo destinados a usarse para el bien de todos **(799-800).**

En la Iglesia primitiva, los llamados a ser discípulos de Jesús se consideraban como una comunidad unida por el amor y guiada por el Espíritu de Dios. Estos primeros cristianos creían que estaban unidos los unos a los otros por el poder del Espíritu Santo quien los constituyó como una comunidad y los llamó a proclamar la buena nueva que Jesús había vivido, muerto y resucitado de entre los muertos. El día de Pentecostés, el Espíritu Santo encendió en fuego sus corazones y les hizo posible atraer a muchos nuevos creyentes a esta comunidad de fe y amor.

De hecho, el Espíritu Santo está al centro de la misión de la Iglesia. **"Cuando el Hijo terminó la obra que el Padre le encargó realizar en la tierra, fue enviado el Espíritu Santo el día de Pentecostés para que santificara continuamente a la Iglesia"** (*Lumen gentium,* 4). **Es entonces cuando "la Iglesia se manifestó públicamente ante la multitud; se inició la difusión del Evangelio entre los pueblos mediante la predicación"** (*Ad gentes,* 4). Como ella convoca a la salvación a **todos los hombres... la Iglesia es, por su misma naturaleza, misionera enviada por**

Cristo a todas las naciones para hacer de ellas discípulos suyos (vea *Mateo* 28:19-20; *Ad gentes*, 2:5-6) **(767)**.

Para realizar su misión, el Espíritu Santo "la construye y dirige con diversos dones jerárquicos y carismáticos" *(Lumen gentium, 4)*. "La Iglesia, enriquecida con los dones de su Fundador y guardando fielmente sus mandamientos del amor, la humildad y la renuncia, recibe la misión de anunciar y establecer en todos los pueblos el Reino de Cristo y de Dios. Ella constituye el germen y el comienzo de este Reino en la tierra" *(Lumen gentium, 5)* **(768)**.

Como los primeros cristianos, Dios nos llama a reconocer el poder del Espíritu en la comunidad de los fieles, la Iglesia universal. Se nos llama a reconocer al Espíritu de verdad que reside en el cuerpo. Por medio del Espíritu, el espíritu de Jesús vive y respira aún en el cuerpo, la comunidad de creyentes. El Espíritu Santo no sólo nos hace capaces de creer en Cristo y poner nuestra esperanza de salvación eterna en él, sino que el Espíritu también nos hace capaces de amarnos los unos a los otros como Cristo nos ama. Es precisamente en esto que la vida moral encuentra su fuente y vitalidad (vea **1971, 1972**).

¡Qué cuestión de fe tan crucial!: ¿Creemos en verdad en Pentecostés? ¿Creemos en verdad que el Espíritu habita en nosotros como Iglesia?

Compartamos nuestra fe

- ¿Cómo veo yo al Espíritu Santo actuando en el cuerpo de creyentes hoy día?

- ¿Qué experiencias me han ayudado más a entender la Iglesia como comunidad, inspirada y guiada por el Espíritu Santo?

- ¿Qué carismas o dones del Espíritu Santo me han sido dados? ¿Cómo los puedo usar para el bien común?

Vivamos la Buena Nueva

Decide hacer algo específico esta semana como resultado de lo que acaban de compartir. Esto es de suma importancia.

Cuando hayas escogido lo que vas a hacer, compártelo con el grupo. Si el grupo completo decide hacer algo, decidan quién hará qué y para cuándo.

A continuación les damos sugerencias adicionales:

- Lee el libro de los *Hechos de los Apóstoles*. Fíjate cómo el Espíritu se hizo sentir en la Iglesia primitiva.

- Durante esta semana, comparte la buena nueva del amor de Dios hacia nosotros con alguien que está luchando por mantener su fe.

- Ora por la inspiración del Espíritu Santo y da gracias a Dios por el don que es la Iglesia.

Levantemos el corazón

Canten de nuevo "Espíritu Santo, Ven".

Ofrezcan oraciones espontáneas y luego respondan:

"Envíanos tu Espíritu, Señor, y seremos renovados".

Concluyan con el Padre Nuestro y el Gloria al Padre...

Para la próxima semana...

- Prepárate bien leyendo con devoción la **Décima Sesión: Una Iglesia** con diversas funciones y los párrafos del 811 al 945 del *Catecismo de la Iglesia Católica*.

Una Iglesia con diversas funciones

Ambiente

Una mesita con la Biblia, un cirio y si es posible, el *Catecismo de la Iglesia Católica. Se comienza en un ambiente de oración, silencio y quietud.*

Levantemos el corazón

Canto

"Yo Soy el Agua Viva", por Cesáreo Gabaráin, No. 505 en *Flor y Canto*, Oregon Catholic Press Publications (OCP) u otro canto similar

Oremos juntos y despacio

> Padre, te damos gracias por los dones de la Sagrada Escritura
> y la Sagrada Tradición que nos has dado por medio de
> tu Iglesia.
> Te damos gracias por los dones que nos has dado
> mediante los siete sacramentos de la Iglesia Católica.
> Te damos gracias también por habitar dentro de nosotros,
> haciendo posible que creamos en Jesús,
> y que pongamos toda nuestra esperanza en él.
> Gracias por ayudarnos a amarnos los unos a los otros
> viviendo vidas buenas y justas.
> Finalmente, te damos gracias por los dones particulares
> que nos has dado a cada uno de nosotros, tu pueblo.
> Te pedimos que nos enseñes a usar nuestros dones para
> tu servicio.
> Permite que los usemos para tu honor y gloria.
> Que acojamos a todas las personas
> con sus particulares dones,

y las animemos a usarlos para tu gloria.
Permite que nunca envidiemos los dones de los demás
   sino que nos demos cuenta de que todo don viene de ti.
Danos fuerza, apóyanos, ámanos
y ayúdanos a ser fieles
a todo lo que nos has dado.
Te lo pedimos en el nombre de Jesús. Amén.

Compartamos nuestra Buena Nueva

Compartan cómo les fue al vivir la Buena Nueva la semana pasada.

Examinemos el *Catecismo*

Como comunidad, oramos: Creemos en la Iglesia, que es una, santa, católica y apostólica. Estas son las cuatro características de la Iglesia y su misión, que Cristo, por el continuo poder del Espíritu Santo, llama a la Iglesia a ejercitar **(811)**.

La Iglesia es una *debido a su "alma"*: **"El Espíritu Santo que habita en los creyentes y llena y gobierna a toda la Iglesia, realiza esa admirable comunión de fieles y une a todos"** (*Unitatis redintegratio*, 2 § 2) **(813)**. **La Iglesia es santa**: la Iglesia es el santo Pueblo de Dios porque Dios la creó y **el Espíritu de santidad la vivifica (867)**. La Iglesia es católica, es decir, **"universal" en el sentido de "según la totalidad" (830)**. La Iglesia proclama la plenitud de la fe a todos los pueblos. La Iglesia es misionera por naturaleza **(849-856)**. Finalmente, **la Iglesia es apostólica porque está fundada sobre los apóstoles (857)**. La misión encomendada a ellos continúa a través de los sucesores de los apóstoles **(858)**. **La Iglesia es** *una, santa, católica y apostólica...* **porque en ella existe ya y será consumado al fin de los tiempos..."el Reino de Dios"** (vea Apocalipsis 19:6) **(865)**.

Escuchemos la oración sacerdotal de Jesús en la que ora por sus discípulos y por todos los que llegarán a creer en Cristo por medio de su palabra.

Reflexionemos sobre la Sagrada Escritura   Juan 17:1-26

Observa este dibujo por un momento y coméntalo.

No ruego solamente por ellos, sino también por todos aquellos que por su palabra creerán en mí.

Pregunta para compartir

- ¿Cómo estamos llamados, en nuestra función de Iglesia a continuar la misión de Jesús hoy día?

Continuemos examinando el *Catecismo*

Unidad con diversidad –¡qué maravilloso don Jesús nos ha dejado! Como fieles cristianos, todos nosotros hemos sido bautizados, y por eso somos el Pueblo de Dios. Como cristianos todos compartimos el oficio sacerdotal, profético y real con Cristo; y por eso estamos todos llamados a ejercer la misión que Dios le ha confiado a la Iglesia para cumplir la misión de Cristo **(871).** El *Código de Derecho Canónico*, haciendo eco del Concilio Ecuménico Vaticano II, nos enseña que hay **"una verdadera igualdad en cuanto a la dignidad y acción, en virtud de la cual todos, según su propia condición y oficio, cooperan a la edificación del Cuerpo de Cristo"** (CDC, 208; vea Concilio Vaticano II, *Lumen gentium*, 32) **(872).** La Iglesia Católica se compone de laicos, religiosos y clero. Hay una diferencia en esos papeles a desempeñar, pero no hay diferencia en los valores de esos papeles. Las diferencias entre los miembros del cuerpo **sirven a su unidad y a su misión,** y no son para crear divisiones o grados de importancia ante los ojos de Dios **(873).**

Si miramos hacia la Iglesia primitiva, vemos el liderazgo único de Pedro, el primer papa. Jesús dijo, "Tú eres Pedro, y sobre esta piedra voy a construir mi iglesia" (Mateo 18:16). **Este oficio pastoral de Pedro y de los demás apóstoles pertenece a los cimientos de la Iglesia. Se continúa por los obispos bajo el primado del Papa (881).** El **Papa, obispo de Roma y sucesor de San Pedro, "es el principio y fundamento perpetuo y visible de unidad, tanto de los obispos como de la muchedumbre de los fieles"** (*Lumen gentium*, 23) **(882).** La primacía del papa es una primacía de servicio. Él no es sólo el Obispo de Roma, sino también el Obispo de la Iglesia universal.

"Cada uno de los *obispos*, por su parte, es el principio y fundamento visible de unidad en sus Iglesias particulares" (*Lumen gentium*, 23) **(886).** De estas Iglesias individuales viene la Iglesia universal. Los obispos, junto al papa, tienen la triple responsabilidad de enseñar, santificar, y gobernar la Iglesia **(886-896).** Cuando el colegio de obispos se reúne en un concilio ecuménico, ejerce poder dentro de la Iglesia universal de un modo solemne, pero esto nunca se hace sin el liderazgo del papa. Como un colegio de obispos, **compuesto de muchos, expresa la diversidad y la unidad del Pueblo de Dios (885)** –de nuevo, unidad en diversidad.

¿Cuál es el papel de los hombres llamados al sacerdocio? Jesús les encomendó una misión única de servicio a los que ejercen autoridad sobre la comunidad de creyentes. El sacerdote es el guardián de los misterios de la fe. Su ministerio es proclamar y predicar la Palabra. **El *carácter de servicio* del ministerio eclesial está intrínsecamente ligado a la naturaleza sacramental (876).** El sacerdote tiene un ministerio sacramental, haciendo a Cristo presente en su poder y misericordia por medio de los siete signos eficaces de la gracia que él le ha dado a la Iglesia Católica. En la liturgia de la Eucaristía, el sacerdote actúa *"in persona Christi"*–en la persona de Jesús mismo, haciendo presente el sacrificio único de Cristo por la salvación del mundo. El sacerdote nos alimenta con el Cuerpo y la Sangre de nuestro Señor. Independientemente de la comunidad, no se le ha dado a nadie el mandato y la misión de proclamar el Evangelio **(875).** Jesús fue el siervo de todos, y el ministerio eclesial exige una vida de servicio por el bien de la Iglesia y el bien de todos **(876).** Además, los llamados al ministerio eclesial están llamados al ministerio colegial. Jesús escogió a los Doce y ellos fueron enviados juntos. **Su unidad fraterna estará al servicio de la comunión fraterna de todos los fieles (877).** Finalmente, los llamados al sacerdocio han de rendir un ministerio pastoral, es decir, ocuparse de las necesidades de los feligreses o aquellos a quienes sirven.

Los fieles laicos tienen una misión única que desempeñar al participar en el Reino de Dios. Juntos con los sacerdotes, obispos, y el papa, ellos participan en la misión de salvación de la Iglesia. Tienen la responsabilidad **en virtud del bautismo y de la confirmación... de trabajar para que el mensaje divino de salvación sea conocido y recibido por todos los hombres y en toda la tierra (900).** Los laicos tienen una llamada particular de dar testimonio de la misión de Jesús "en las condiciones generales de la sociedad" según ejercen su ministerio en sus familias, en sus lugares de trabajo, en sus vecindarios, y en todas las áreas de la sociedad. **La iniciativa de los cristianos laicos es particularmente necesaria cuando se trata de descubrir o de idear los medios para que las exigencias de la doctrina y de la vida cristianas impregnen las realidades sociales, políticas y económicas (899).**

Los laicos están participando más en las estructuras de la Iglesia y están llamados a ejercer su ministerio dentro de la misma Iglesia **(903).** Ellos tienen también una función apropiada en la triple misión de la Iglesia. Procuran adherirse a la voluntad de Dios y dar buen ejemplo a todos del discipulado cristiano. La santidad de sus vidas es una respuesta directa a la llamada de la Iglesia Católica a santificar el mundo. De forma que los fieles cristianos laicos puedan cooperar y ejercer aún más en el ejercicio de la potestad de gobierno, se les anima a participar en concilios particulares, sínodos diocesanos, consejos pastorales, consejos sobre asuntos económicos, etc. **(911).** Al igual que el clero, los laicos están llamados a cumplir su misión profética mediante la evangelización, es decir, al proclamar la Buena Nueva de Jesús en todos los aspectos de sus vidas **(905).**

El Señor propone los consejos evangélicos de pobreza, castidad, y obediencia a todos los discípulos. Sin embargo, Dios llama a ciertos miembros de la Iglesia a profesar estos consejos dentro de un estado permanente. Las personas llamadas a vivir en comunidad como hermanas y hermanos son un signo y símbolo. Ellos profesan públicamente que el Reino de Dios esta aquí ahora. Todas ofrecen dones del Espíritu para mostrarle al mundo la forma maravillosa en que Dios actúa en nuestro mundo **(931).** Los que aceptan la llamada a la vida religiosa consagrada animan a todos los fieles y dan **este testimonio admirable de "que sin el espíritu de las bienaventuranzas no se puede transformar este mundo y ofrecerlo a Dios"** (*Lumen gentium*, 31 § 2) **(932).**

¡Que bella unidad y comunión Dios ha creado y está creando en la Iglesia Católica! Los fieles en la tierra, las almas en el purgatorio, y los santos en el cielo componen la comunión de los santos. **La comunión de los santos es precisamente la Iglesia (946).** Santo Tomás de Aquino nos dice que **"como todos los creyentes forman un solo cuerpo, el bien de** los unos se comunica a los otros.... Es, pues, necesario creer que existe una comunión de bienes en la Iglesia. Pero el miembro más importante es Cristo, ya que Él es la cabeza.... Así, el bien de Cristo es comunicado a todos los miembros, y esta comunicación se hace por los sacramentos de la Iglesia" (Santo Tomás de Aquino, *Symb.*,10). "Como esta Iglesia está gobernada por un solo y mismo Espíritu, todos los bienes que ella ha recibido forman necesariamente un fondo común" (*Catecismo* Romano 1, 10, 24) **(947)**.

Los sacramentos son signos eficaces de la constante y dinámica presencia de Cristo en la vida de los fieles católicos. Su gracia reconcilia al mundo con su Padre y nos hace posible el amarnos los unos a los otros como él enseñó. En los sacramentos, Jesús nos hace miembros de su propia familia, perdona nuestros pecados, y nos acerca a una unión cada vez más íntima con las personas divinas. **"Los Sacramentos... son otros tantos vínculos sagrados que unen a todos y los ligan a Jesucristo.... El Bautismo es como la puerta por la que los hombres entran en la Iglesia.... La comunión de los santos es la comunión de los sacramentos.... El nombre de comunión puede aplicarse a cada uno de ellos, porque cada uno de ellos nos une a Dios.... Pero este nombre es más propio de la Eucaristía que de cualquier otro, porque ella es la que lleva esta comunión a su culminación"** (*Catecismo* Romano 1, 10, 24) **(950)**.

Compartamos nuestra fe

- ¿Cómo entiendo yo mi llamada a ser un discípulo de Jesucristo? ¿Qué dones me ha dado Dios para vivir como discípulo?

- ¿Cuál ha sido mi experiencia de los dones positivos de los sacerdotes? ¿De los laicos? ¿De los religiosos?

- ¿Qué cosas en concreto puedo hacer para ayudar a los miembros de mi parroquia a lograr mayor unión unos con otros y con Cristo?

Vivamos la Buena Nueva

Decide hacer algo específico esta semana como resultado de lo que acaban de compartir. Esto es de suma importancia.

Cuando hayas escogido lo que vas a hacer, compártelo con el grupo. Si el grupo completo decide hacer algo, decidan quién hará qué y para cuándo.

A continuación les damos sugerencias adicionales:

- Si eres un sacerdote u obispo, ratifica los dones de una persona laica. Si eres laico(a), ratifica los dones de un sacerdote u obispo.

- Comparte la Buena Nueva de Jesús con alguien que no está familiarizado(a) con Jesús.

- Si no estás activo(a) en tu parroquia, ofrécete como voluntario(a) para recibir a los que entran a la iglesia o responde a un ministerio que sea necesario.

Levantemos el corazón

El animador(a) lee despacio de 1 Corintios 12:1-11. El animador(a) pide a los miembros del grupo que oren espontáneamente sobre los dones que ellos poseen, o por los dones que él o ella ve en alguien de la parroquia o del grupo. Estas son oraciones de acción de gracias.

Por ejemplo: Te doy gracias, oh Dios, por el don de sinceridad, que yo veo en nuestro párroco y permite que este don continúe creciendo en él.

Cuando todos hayamos tenido la oportunidad de orar, el animador(a) dice:

Oremos el Padre Nuestro en acción de gracias por todos los dones que Dios ha depositado en nuestra parroquia.

Concluyan con un abrazo u otra señal de paz.

Para la próxima semana...

- Prepárate bien leyendo con devoción la **Undécima Sesión: María, Madre de Cristo y Madre de la Iglesia** y los párrafos del 946 al 975 del *Catecismo de la Iglesia Católica*.

Undécima Sesión

María, Madre de Cristo y Madre de la Iglesia

Ambiente

Una mesita con la Biblia, un cirio y si es posible, el *Catecismo de la Iglesia Católica. Se comienza en un ambiente de oración, silencio y quietud.*

Levantemos el corazón

Canto

"Santa María del Camino", por Juan A. Espinosa, No. 447 en *Flor y Canto*, Oregon Catholic Press Publications (OCP) u otro canto a la Virgen

Oremos juntos y despacio

> Con cuanto gozo, oh Madre mía de Guadalupe, venimos hasta ti a expresarte nuestras penas y nuestros pesares. Tú, que prometiste escuchar nuestros ruegos y atender nuestras necesidades, muéstrate amorosa y compasiva con el pueblo de Dios que te aclama. Concede la paz, justicia y prosperidad a este pueblo que te sigue y venera con fervor.
>
> Oh Inmaculada Virgen, Madre del Dios verdadero y Madre de la Iglesia. Tú, que desde el cerro del Tepeyac revela tu clemencia y tu piedad a quienes buscan tu protección, escucha las súplicas de quienes se dirigen a ti con confianza y preséntalas a tu Hijo Jesús, nuestro único redentor.
>
> Virgen Madre de Guadalupe, emperatriz de las Américas, te pedimos por todos los pastores de nuestra Iglesia, para que ellos

guíen a tu pueblo santo por verdaderos senderos de vida cristiana, de amor y servicio a los más necesitados. Intercede ante el Señor para que él nos haga sentir hambre de santidad y nos bendiga con abundantes vocaciones sacerdotales y a la vida religiosa.

Madre de misericordia, mantén nuestra esperanza de caminar hacia tu Hijo Jesús. Ayúdanos a levantarnos en nuestras caídas y fracasos. Ayúdanos a mantener una fe viva y a ser celosos dispensadores de los misterios de Dios. Amén.

De la oración del Papa Juan Pablo II a Ntra. Sra. de Guadalupe

Compartamos nuestra Buena Nueva

Compartan cómo les fue al vivir la Buena Nueva la semana pasada.

Examinemos el *Catecismo*

Después de proclamar que somos la Iglesia que es una, santa, católica y apostólica, añadimos que creemos en "la comunión de los santos" **(946)**. Ya que todos los fieles forman un cuerpo, creemos que existe una comunión "en las cosas santas" y "entre las personas santas" **(948)**. Todos los que han muerto antes que nosotros y han vivido vidas de santidad están muy presentes para nosotros hoy día, y podemos estar en comunión con ellos. Ellos pueden ser nuestros buenos amigos. Podemos aprender de ellos; podemos aprender a poner a Dios en el centro de nuestra vida. Verdaderamente, somos una familia en el amor de Dios.

María, la Madre de Jesucristo y Madre de la Iglesia, tiene un puesto muy especial en nuestra vida. Por estar dispuesta y aceptar completamente la voluntad del Padre, por participar en la obra redentora de Jesús, y por ponerle atención a cada inspiración del Espíritu Santo, **María es para la Iglesia el modelo de la fe y de la caridad (967)**. Ella le puso atención a los movimientos conmovedores de su corazón y respondió con pleno amor. Aunque sintiese temor o confusión sobre su llamada a ser la madre de Dios, ella permitió que la vida de Dios naciera en sus entrañas y alimentó esa vida. Escuchemos las palabras del "Hágase" de María, su "sí" a Dios.

Reflexionemos sobre la Sagrada Escritura   Lucas 1:26-56

Observa este dibujo por un momento y coméntalo.

Pregunta para compartir

- ¿Cómo le digo que "sí" a la llamada de Dios en mi vida?

Continuemos examinando el *Catecismo*

¿Quién es esa persona a la que llamamos María? ¿Quién es María para nosotros hoy día? Sabemos que ella es la madre de Dios, pero ¿sabemos también que ella fue una mujer muy fiel de un espíritu extraordinario?

El "sí" de María fue un acto de obediencia total a la voluntad de Dios. Al principio, cuando el Ángel Gabriel la visitó, María voluntariamente proclamó: "Yo soy la servidora del Señor; hágase en mí lo que has dicho" (Lucas 1:38). Qué mujer más fuerte, una mujer que se abre completamente a Dios, una mujer llena de gracia, una mujer que comprendió que su poder venía del gran poder de Dios. María no solo entendió que ella sería instrumento del poder de Dios, sino también que ella, como Jesús, desafía algunas de las actitudes básicas de nuestra sociedad. Desde un principio ella comprende que el Padre la escogió a ella para deshacer "los planes de los orgullosos", que Dios la eligió para derribar "a los reyes de sus tronos y [poner] en alto a los humildes" (Lucas 1:51, 52). La escogió como instrumento para reconocer que los hambrientos serían saciados y los ricos serían despedidos con las manos vacías. La Anunciación no solo reveló que Jesús iba a nacer, sino también quién sería Jesús en este mundo.

Con frecuencia en la Escritura, vemos a María relacionándose con otras personas. Después de la visita del ángel, una de las primeras cosas que María hizo fue emprender un largo viaje para visitar a su prima, Isabel. Isabel era como una consejera para María, alguien que le ayudó a comprender su don de fe absoluta en la voluntad de Dios. Con voz fuerte Isabel le dijo a María: "¡Dichosa tú por haber creído que han de cumplirse las cosas que el Señor te ha dicho!" (Lucas 1:45). Estas dos mujeres de Dios, estas sabias mujeres, reconocieron al Dios que moraba en ellas.

Como María es la madre de Jesús, el Hijo de Dios, María es la Madre de Dios. **Pero su papel con relación a la Iglesia y a toda la humanidad va aún más lejos.** Hoy día la reconocemos como la Madre de la Iglesia. Ella cooperó por su obediencia, fe, esperanza, y caridad en la labor de salvación; por tanto, ella también se ha convertido en madre de todos nosotros. La llamamos Abogada y Auxiliadora **(968-969)**. Le tenemos gran devoción a María en oración y reverencia. "La piedad de la Iglesia hacia la Santísima Virgen es un elemento intrínseco del culto cristiano" (Pablo VI). **La Santísima Virgen "es honrada con razón por la Iglesia con un culto especial'** (*Lumen gentium*, 66) **(971)**. Las fiestas litúrgicas dedicadas a María y la oración mariana, tal como el rosario, expresan nuestra devoción a nuestra madre **(971)**.

Tenemos bellos iconos y símbolos de María. Muchos de nosotros acudimos a María en nuestras necesidades, especialmente cuando deseamos la presencia de una madre sanadora. Estamos comenzando a entender más y más el poder que María tuvo, no por sí misma, sino porque verdaderamente fue la primera discípula de Jesús. Ella estuvo al pie de la cruz y sufrió profundamente por su hijo. Ella estuvo con los discípulos durante el milagro de Pentecostés. María siguió adelante con sus creencias, pero aun más importante, con su amor incondicional hacia el mundo. Hoy día reconocemos su bienaventuranza y reafirmamos lo que ella bien sabía: "*Desde ahora siempre me llamarán dichosa*" (Lucas 1:48) **(971)**.

Compartamos nuestra fe

- ¿Cuáles son mis imágenes favoritas de María? ¿Por qué me agradan?

- ¿Cómo le rindo honor a María?

- ¿En qué sentido es María "bendita" para esta generación?

- ¿En qué sentido es María un modelo para nosotros hoy día?

- ¿Qué puedo aprender de María sobre cómo ser un(a) discípulo(a)? *— seguidor*

- ¿Cómo lograré profundizar mi discipulado con Jesús por medio de María? *interseda por nosotros*

Vivamos la Buena Nueva

Decide hacer algo específico esta semana como resultado de lo que acaban de compartir. Esto es de suma importancia.

Cuando hayas escogido lo que vas a hacer, compártelo con el grupo. Si el grupo completo decide hacer algo, decidan quién hará qué y para cuándo.

A continuación les damos sugerencias adicionales:

- Reza el rosario durante esta semana que viene.

- Lee un libro sobre la vida de los santos. Rézale a tu santo favorito o escribe en tu diario sobre este santo.

- Habla con una señora mayor que tú sabes es una persona sabia.

Levantemos el corazón

Oremos de lado a lado el Magnificat *(Lucas 1:46-55)*

Lado 1 Mi alma alaba la grandeza del Señor;
mi espíritu se alegra en Dios mi Salvador.
Porque Dios ha puesto sus ojos
en mí, su humilde esclava,

Lado 2   Y desde ahora siempre
         me llamarán dichosa;
         porque el Todopoderoso ha
         hecho en mí grandes cosas.
         ¡Santo es su nombre!

Lado 1   Dios tiene siempre misericordia
         de quienes lo reverencian.

Lado 2   Actuó con todo su poder;
         deshizo los planes de los orgullosos.

Lado 1   Derribó a los reyes de sus tronos
         y puso en alto a los humildes.
         Llenó de bienes a los hambrientos
         y despidió a los ricos con las manos vacías.

Lado 2   Ayudó al pueblo de Israel, su siervo,
         y no se olvidó de tratarlo con misericordia.
         Así lo había prometido a nuestros antepasados,
         a Abraham y a sus futuros descendientes.

Para la próxima semana...

- Prepárate bien leyendo con devoción la **Duodécima Sesión: Creemos en la vida eterna** y los párrafos del 988 al 1065 del *Catecismo de la Iglesia Católica*.

Duodécima Sesión

Creemos en la vida eterna

Ambiente

Una mesita con la Biblia, un cirio y si es posible, el *Catecismo de la Iglesia Católica. Se comienza en un ambiente de oración, silencio y quietud.*

Levantemos el corazón

Canto

"Señor, Tú Eres el Pan", Tradicional, No. 372 en *Flor y Canto*, Oregon Catholic Press Publications (OCP) u otro canto sobre la vida eterna

Oremos juntos y despacio el Salmo 146

¡Alabado sea el Señor!

Alabaré al Señor con toda mi alma.
Alabaré al Señor mientras yo viva;
cantaré himnos a mi Dios mientras yo exista.

No pongan su confianza en hombres importantes,
en simples hombres que no pueden salvar,
pues cuando mueren regresan al polvo,
y ese mismo día terminan sus proyectos.

Feliz quien recibe ayuda del Dios de Jacob,
quien pone su esperanza en el Señor su Dios.
Él hizo cielo, tierra y mar, y todo lo que hay en ellos.

Oh Sión, el Señor reinará por siempre;
tu Dios reinará por todos los siglos.

Compartamos nuestra Buena Nueva

Compartan cómo les fue al vivir la Buena Nueva la semana pasada.

Examinemos el *Catecismo*

¿Cuántas veces se nos ha cruzado el siguiente pensamiento por nuestras mentes: "¿Y esto es todo lo que hay en la vida?" Debido a que esta cultura muy científica y tecnológica, a veces no confiamos en lo que no podemos ver o "probar". Sin embargo, en nuestra profesión de fe proclamamos que creemos en la acción creadora, salvadora y santificadora que culmina en la proclamación de fe en la resurrección de nuestros cuerpos y en la vida eterna **(988)**.

Así como Jesús murió y resucitó de entre los muertos y vive para siempre, nosotros, también viviremos para siempre con Jesús resucitado, y nosotros también seremos resucitados en el último día.

La resurrección de los muertos fue revelada progresivamente por Dios a su Pueblo (992). Los fariseos y muchos de los que vivían en los tiempos de Jesús **esperaban la resurrección. Jesús la enseña firmemente (993).** Jesús va aún más allá y hace una conexión entre la fe en la resurrección y él mismo: "Yo soy la resurrección y la vida" (Juan 11:25). Creer en Jesús es creer en la vida eterna. Creer en Jesús es creer que seremos resucitados con él en el último día **(994)**. Ponle atención a la promesa de Jesús.

Reflexionemos sobre la Sagrada Escritura   Juan 6:39-40

Observa este dibujo por un momento y coméntalo.

Pregunta para compartir

- ¿Cómo le respondería a alguien que hiciera la pregunta, "¿Y esto es todo lo que hay en la vida?'

Continuemos examinando el *Catecismo*

Desde los tiempos de la Iglesia primitiva, surgieron ciertas preguntas: ¿Quién resucitará? ¿Cómo resucitan los muertos? La Escritura nos dice que **resucitarán todos los... que han muerto, "los que hayan hecho el bien resucitarán para la vida, y los que hayan hecho el mal, para la condenación" (Juan 5:29)** (vea Daniel 12:2) **(998). Este "cómo" sobrepasa nuestra imaginación y nuestro entendimiento; no es accesible más que en la fe (1000).** Pero sabemos que cada persona recibirá **un juicio particular** en el momento de su muerte **(1022).**

Cuando el Padre envió a Jesús, llegamos a conocer que el Reino de Dios está presente aquí y ahora. Cada uno de nosotros está unido a Cristo en el bautismo, y por eso ya participamos en la vida de Cristo resucitado. Alimentados con su cuerpo, ya pertenecemos al Cuerpo de Cristo. Aún así creemos que hay más por venir, nosotros creemos que estamos unidos a Cristo, resucitaremos con Cristo en el último día y nos "manifestaremos con Él llenos de gloria" (Colosenses 3:4) **(1003).**

Esta vida perfecta con la Santísima Trinidad, esta comunión de vida y de amor con Ella, con la Virgen María, los ángeles y todos los bienaventurados se llama "el cielo". El cielo es el fin último y la realización de las aspiraciones más profundas del hombre, el estado supremo y definitivo de dicha (1024).

Por su muerte y su Resurrección Jesucristo nos ha "abierto" el cielo. La vida de los bienaventurados consiste en la plena posesión de los frutos de la redención realizada por Cristo quien asocia a su glorificación celestial a aquellos que han creído en Él y que han permanecido fieles a su voluntad. El cielo es la comunidad bienaventurada de todos los que están perfectamente incorporados a Él (1026).

Pero **para resucitar con Cristo, es necesario morir con Cristo (1005).** ¿Por qué con frecuencia tememos nuestra propia muerte? La muerte no es fácil, porque de muchas formas es desconocida. Tratamos de huir de ella y hacemos lo posible por evitarla hasta que toca nuestras vidas con la muerte de un ser querido, o por una enfermedad o accidente. Jesús promete que todo el que entra a la muerte con él, entrará a una nueva vida. La muerte es un proceso natural, y se nos anima a prepararnos para la hora de nuestra muerte **(1014)**. ¡Es muy importante para nosotros el aceptar la muerte con fe y esperanza!

San Juan de la Cruz dijo: "**A la tarde te examinarán en el amor**" **(1022)**. Es una maravillosa reflexión el pensar que a la hora de nuestra muerte se nos preguntará: "¿Cuán bien amaste?" Ya que Dios es amor, el cielo es vivir en ese amor total. El estar falto de amor equivale a ser excluido de Dios. **Este estado de autoexclusión definitiva de la comunión con Dios y con los bienaventurados es lo que se designa con la palabra "infierno" (1033).**

La enseñanza de la Iglesia afirma la existencia del infierno y su eternidad. Las almas de los que mueren en estado de pecado mortal descienden a los infiernos inmediatamente después de la muerte y allí sufren las penas del infierno, "el fuego eterno". La pena principal del infierno consiste en la separación eterna de Dios en quien únicamente puede tener el hombre la vida y la felicidad para las que ha sido creado y a las que aspira (1035).

Muchas personas no están faltas de amor, pero su amor sufre por el pecado de egoísmo, envidia, avaricia, lujuria, etc. Tales personas no se pueden unir al amor sin egoísmo de los santos: no están preparados para dar o recibir el amor totalmente gratuito de las Divinas Personas. Todavía no están listas para compartir totalmente la vida de Dios.

Por eso, la Iglesia enseña que todos los que todavía necesitan lograr tal santidad después de la muerte tienen que pasar por una última purificación, es decir, por el purgatorio, que es totalmente diferente que el infierno. **Los que mueren en la gracia y en la amistad de Dios, pero imperfectamente purificados, aunque están seguros de su eterna salvación, sufren después de su muerte una purificación, a fin de obtener la santidad necesaria para entrar en la alegría del cielo (1030).**

En el bello misterio de la comunión de los santos, los que aún se están purificando de sus pecados en el purgatorio están unidos en un lazo de amor a los fieles en la tierra y a los que ya han llegado al cielo. **En este intercambio admirable, la santidad de uno aprovecha a los otros... (1475).** Por la gracia de Dios, nuestras oraciones y palabras de caridad pueden todavía afectar las almas de las personas que han muerto antes que nosotros, así como la amorosa atención de los que están en el cielo continúa siendo una bendición para nosotros que aún luchamos en este mundo.

Comenzamos estas sesiones con una reflexión sobre nuestro deseo de Dios. Cada uno de nosotros tiene en nuestro interior un deseo innato de Dios, una añoranza por nuestro hogar. Cuando un niño nace a este mundo, el niño siente la inmensidad y lo "frío" de un mundo tan distinto al vientre de su madre. De la misma forma, cuando nos llega el momento de morir y entrar a un nuevo mundo, es posible que sintamos cierta resistencia a lo nuevo, más todavía existe la maravilla de mucho más de lo que podríamos pedir o imaginarnos. Ha habido muchas bellas historias de personas que han tenido experiencias próximas a la muerte, que han compartido sobre la luz que vieron y como no sintieron temor alguno, sino que recibieron con agrado lo cálido y atractivo de la luz. La naturaleza positiva de estas experiencias nos proporciona optimismo y esperanza. Sin embargo, tales experiencias deben ser consideradas en términos de la tradición cristiana. Es posible que sólo después de haber llegado a la vida eterna nos demos cuenta cabal que sólo somos peregrinos en esta tierra.

Si bien se nos puede hacer difícil imaginárnoslo, se nos ha prometido que al fin de los tiempos, el Reino de Dios **llegará a su plenitud (1042)**. En el capítulo 21 del Libro del Apocalipsis, se nos promete que en este nuevo universo, Dios habitará por completo entre nosotros. Al experimentar directamente a Dios enjugará toda lágrima de nuestros ojos, y no habrá ya muerte **(1044)**. Para nosotros como seres humanos será la realización definitiva de la unión de la raza humana que Dios creó **(1043)**. Para nuestro universo, habrá una transformación y cumplimiento total. Habitaremos en armonía en este nuevo cielo y nueva tierra donde habita la justicia, en el que nuestra felicidad llenará y sobrepasará todos los deseos de paz de nuestro corazón **(1048)**.

Compartamos nuestra fe

- ¿Cómo respondería si en el "atardecer de mi vida" me preguntasen: "¿Cómo amaste?"

- ¿Con cuanta frecuencia cometo el error de pensar que mi bondad, en vez de la bondad de Dios, ha de salvarme?

- ¿Cómo me siento sobre mi propia muerte? ¿Cuáles son mis temores? ¿Cuáles son mis esperanzas? ¿Cómo me prepararía para la muerte?

Vivamos la Buena Nueva

Decide hacer algo específico esta semana como resultado de lo que acaban de compartir. Esto es de suma importancia.

Cuando hayas escogido lo que vas a hacer, compártelo con el grupo. Si el grupo completo decide hacer algo, decidan quién hará qué y para cuándo.

A continuación les damos sugerencias adicionales:

- Continúen reuniéndose como una pequeña comunidad usando uno de los otros tres libros de esta serie *¿Por Qué Ser Católico? El Catecismo como camino.* Estos son *La celebración del misterio cristiano, La vida en Cristo* y *La oración del cristiano.*

- Recopila algunas ideas para la liturgia de tu funeral. Entrégaselas a alguien allegado a ti para que se puedan usar en tu sepelio.

- Escribe en tu diario sobre tus sentimientos sobre la muerte o escríbele una carta a Dios dándole a conocer tus sentimientos sobre la muerte.

- Si es posible, habla con alguien que pueda estar próximo a morir. Ofrécele ayuda a una persona que haya perdido a un ser querido.

- Celebra de una manera especial con tu grupo el haber reflexionado juntos por medio de la oración o con un encuentro social.

Levantemos el corazón

(Pueden cantar la canción, "Resucitó", por Francisco Gómez, No. 400, en Flor y Canto, *Oregon Catholic Press Publications (OCP) u otro sobre la resurrección.*

Luego, en sus propias palabras expresen sus creencias. (Por ejemplo: Yo sí creo, oh Dios, que tú has preparado un lugar para mí desde toda la eternidad.)

Concluyan rezando juntos el Credo de los Apóstoles en la páginas 14 y 15.

Mirando Hacia el Futuro

Más de 30 libros en español para compartir la fe se pueden pedir a:

RENEW International
1232 George Street
Plainfield, NJ 07062-1717

Teléfono	908-769-5400
Para pedir	888-433-3221
Fax	908-769-5660
Página digital	www.renewintl.org
	www.WhyCatholic.org
	www.ParishLife.com
Correo-e	renacer@renewintl.org

Recursos Musicales

Deben tener en cuenta que los cantos que aquí le sugerimos se encuentran en el cancionero *Flor y Canto*, segunda edición de 2001, que contiene la letra solamente. Lo pueden pedir a:

Oregon Catholic Press Publications (OCP)
5536 NE Hassalo
Portland, OR 97213

Teléfono	800-LITURGY (548-8749)
Fax	800-4-OCP-FAX (462-7329)
Página digital	www.ocp.org
Correo-e	liturgy@ocp.org

NOTAS

NOTAS

NOTAS

NOTAS

NOTAS

NOTAS

NOTAS

NOTAS